GLISSEZ
SUR LE
TEMPS

Les Éditions Transcontinental
1100, boul. René-Lévesque Ouest
24ᵉ étage
Montréal (Québec) H3B 4X9
Tél. : (514) 392-9000 ou, sans frais, 1 800 361-5479
www.livres.transcontinental.ca

Distribution au Canada
Québec-Livres, 2185, Autoroute des Laurentides, Laval (Québec) H7S 1Z6
Tél. : (450) 687-1210 ou, sans frais, 1 800 251-1210

Distribution en Suisse
Servidis S. A. – Diffusion et distribution
Chemin des Chalets CH 1279 Chavannes de Bogis SUISSE
Téléphone : (41) 22.960.95.10
www.servidis.ch

Données de catalogage avant publication (Canada)

Samson, Alain
Glissez sur le temps
(S.O.S. BOULOT)

ISBN 2-89472-191-9

1. Budget temps. 2. Emploi du temps. 3. But (Psychologie). 4. Succès. 5. Gestion
d'informations personnelles. I. Titre. II. Collection : Samson, Alain.

HD69.T54S35 2002   650.1   C2002-941499-7

Révision :
Hélène Morin
Correction :
Pierre-Yves Thiran
**Mise en pages
et conception graphique
de la couverture :**
Studio Andrée Robillard

© Les Éditions Transcontinental, 2002
Dépôt légal — 4ᵉ trimestre 2002
Bibliothèque nationale du Québec
Bibliothèque nationale du Canada
ISBN 2-89472-191-9
Imprimé au Canada

Nous reconnaissons, pour nos activités d'édition, l'aide financière du gouvernement du
Canada, par l'entremise du Programme d'aide au développement de l'industrie de l'édition
(PADIÉ), ainsi que celle du gouvernement du Québec (SODEC), par l'entremise du Programme
d'aide aux entreprises du livre et de l'édition spécialisée.

Alain Samson

GLISSEZ
SUR LE
TEMPS

Les Éditions
TRANSCONTINENTAL inc.

DANS LA MÊME COLLECTION

Gérez votre patron

Devrais-je démissionner ?

Un collègue veut votre peau

Bien payé mais toujours cassé

Sexe et flirts au bureau

Pourquoi travaillez-vous ?

Faites grandir votre influence

Affirmez-vous !

TITRE À PARAÎTRE PROCHAINEMENT

Le kit du survivant

TABLE DES MATIÈRES

INTRODUCTION
C'est votre combientième ? 7

CHAPITRE 1
La maladie du siècle 13

CHAPITRE 2
Les préparatifs 25

CHAPITRE 3
Organisez-vous ! 39

CHAPITRE 4
Surfer sur chaque journée 53

CHAPITRE 5
Se simplifier la vie 65

CHAPITRE 6
Les chronophages internes 73

CHAPITRE 7
Les chronophages externes 87

CONCLUSION
Paresse ou liberté ? 101

LECTURES SUGGÉRÉES 105

C'est votre combientième ?

Combien de livres portant sur la gestion du temps avez-vous lus jusqu'ici ? Deux ? Trois ? Alors pourquoi un autre ? N'êtes-vous pas déjà un redoutable gestionnaire du temps ? Une personne capable de mener des dizaines d'activités dans une seule journée ? Pourquoi chercher encore ? Trois personnes rencontrées pendant la préparation de ce guide offrent une piste de réponse.

➤ Louise : « C'est difficile à dire. J'ai lu quelques-uns de ces bouquins et je me fais un devoir de les parcourir du début à la fin. Je tente ensuite d'en mettre le contenu en pratique. Mon problème, c'est que, quelques semaines plus tard, je retombe dans mes bonnes vieilles habitudes. »

➤ Jonathan : « Ce n'est pas que je ne sois pas efficace. Mes journées sont remplies du soir au matin, mais je me demande souvent si c'est vraiment réussir sa vie que d'accomplir chaque jour de multiples tâches. »

➤ Carole : « Chaque fois que je commence un livre sur la gestion du temps, j'arrête de lire au bout de quelques chapitres. Je sais que je veux être plus efficace, mais les conseils offerts dans ces ouvrages me semblent impossibles à mettre en pratique ! Ils conviendraient mieux à un banquier alors que je suis conceptrice graphique. »

Pourquoi la gestion du temps est-elle à ce point difficile et les méthodes traditionnelles ne conviennent-elles pas à une grande majorité des gens ? Une bonne partie de la réponse se trouve dans le titre de la section suivante.

LE TEMPS NE SE GÈRE PAS !

Tenter de gérer le temps relève du mythe. Vous ne pouvez pas utiliser trois heures de moins aujourd'hui et les réutiliser demain ou la semaine prochaine. Une journée perdue est une journée gaspillée. Le temps ne se met pas en conserve et, surtout, il ne se gère pas.

Il s'agit d'un des seuls facteurs de succès distribué également dans la population. Riche ou pauvre, jeune ou vieux, scolarisé ou analphabète, vous recevez chaque jour le même nombre de secondes que les autres. Ce que vous en faites dépend uniquement de vous.

Qu'arrivera-t-il au temps mis à votre disposition ? Sera-t-il gaspillé ? Servira-t-il à réaliser les rêves d'une autre personne ? Vous rapprochera-t-il de vos propres rêves ? Vous êtes la seule personne qui puisse répondre à ces questions.

Dans ce guide, nous choisirons une autre approche que celle de la gestion du temps pour vous redonner la maîtrise de cette précieuse ressource. Nous ne vous encouragerons pas à remplir votre agenda d'activités qui ne vous rapprocheront pas de vos objectifs. Nous ne vous imposerons pas une discipline qui vous fera sentir coupable en fin de journée quand vous constaterez que vous n'avez réalisé que la moitié des choses prévues. Nous souhaitons également faire taire cette voix en vous qui répète qu'un danger est imminent et qu'il faut courir, courir, courir... Nous vous encouragerons à devenir un surfeur, à **glisser sur le temps**.

Glisser sur le temps, c'est tirer le maximum de chaque journée qui passe en respectant quatre grands principes :

1. Nul ne peut glisser sur le temps sans savoir où il souhaite aller. Le mot « glisser » implique **une direction**. Si vous n'avez pas de but, vous laissez le destin vous mener. Vous n'avez pas encore d'objectifs de vie ? Lisez *Pourquoi travaillez-vous ?*, un autre guide de la collection **S.O.S. BOULOT**.

2. Nous ne pouvons pas tous glisser sur le temps **de la même manière**. Les gens créatifs n'ont pas à gérer

leurs journées de la même manière que les gens plus cartésiens. Nous vous présenterons plusieurs façons de meubler vos journées.

3. Une journée remplie n'est pas nécessairement une journée réussie. Ce n'est pas le nombre d'activités qui permet d'évaluer si une journée a été réussie. C'est plutôt **le sentiment de s'être approché de ses objectifs**, la fierté d'avoir fait la différence.

4. Glisser sur le temps exige d'être **proactif**. Le surfeur doit être à l'affût. S'il voit les vagues venir, il pourra les utiliser pour accélérer son mouvement. S'il se contente de les subir, il sera déstabilisé et se retrouvera à la flotte. Pour glisser sur le temps, il faut voir venir les coups et les occasions, et se préparer en conséquence.

Vous en avez assez de vous laisser ballotter par les événements au lieu de les provoquer ? Vous aimeriez vous coucher plus souvent le soir avec le puissant sentiment d'avoir progressé ? Si c'est le cas, *Glissez sur le temps* est pour vous !

NOTRE ITINÉRAIRE

Dans le chapitre 1, intitulé *La maladie du siècle*, nous vous présentons une série de symptômes que nous avons regroupés sous le nom de « temps-dinite ». Vous y trouverez les causes de cette maladie et ses effets physiques, psychologiques et sociaux. Nous y expliquons également pourquoi les méthodes traditionnelles de gestion du temps sont inefficaces lorsqu'on est atteint de temps-dinite.

Le chapitre 2 s'intitule *Les préparatifs*. Il porte sur ce que vous devez faire avant même de commencer à glisser sur le temps. Vous y trouverez un test pour vous évaluer à partir de sept paramètres et une activité qui vous fera prendre conscience du travail que vous avez tenté d'éviter jusqu'ici.

Organisez-vous !: tel est le titre du troisième chapitre. Vous y verrez comment organiser vos dossiers, papiers et agenda pour vous faciliter la vie au lieu de vous la compliquer.

Une fois mieux organisé, vous pourrez surfer sur chaque journée. Ce sera l'objet du chapitre 4. Nous y verrons comment exécuter rapidement le travail prévu pour une journée donnée.

Dans le chapitre 5, *Se simplifier la vie,* nous résumerons l'ensemble de la démarche avant de nous attaquer aux « chronophages », également connus sous le nom de « voleurs de temps ». Vous y découvrirez les dangers de dériver sur le temps.

Le chapitre 6, intitulé *Les chronophages internes*, vous permettra de venir à bout des principaux obstacles internes à une bonne gestion de vos journées et de mieux cerner votre raison d'être au travail.

Dans le septième et dernier chapitre, *Les chronophages externes*, vous trouverez une foule de trucs pour gagner du temps dans les réunions, au téléphone et avec les gens qui vous entourent.

Ce qui suit pourrait changer votre vie, augmenter votre plaisir au travail, vous rendre plus intéressant et vous faire réaliser que vous pouvez aspirer à de meilleures choses. Il est possible de multiplier les activités et les responsabilités sans en ressentir le poids. Oui, il est possible de glisser sur le temps.

La maladie du siècle

Imaginez la situation suivante : vous êtes dans une aérogare et vous avez en main votre billet pour le vol AC475. On annonce que l'embarquement pour le vol AC475 commence bientôt à la porte 43. Lequel des deux comportements décrits ci-après ressemble le plus à celui que vous adopteriez ?

• Vous attendez que la majeure partie du groupe se soit présentée à la barrière puis vous vous levez et vous approchez à votre tour. Après tout, pourquoi se presser quand sa place est réservée et que tout le monde part à la même heure ?

• Vous bondissez dès l'annonce et vous vous précipitez pour être dans les premiers à prendre place.

Si vous avez choisi le deuxième comportement, bienvenue dans le club ! La plupart des Nord-Américains se sentent pressés par le temps et ont tendance à courir, que la situation l'exige ou non. Ils sont pressés, mais ils ignorent pourquoi. Ils courent sans savoir où ils vont. Ils ressentent un sentiment de crise imminente sans pouvoir en deviner la provenance.

UN PEU D'HISTOIRE

L'homme n'a pas toujours été pressé par le temps. Pendant des siècles, il a suivi le rythme des saisons, travaillant quand les récoltes ou la chasse l'exigeaient et se reposant (ou jouant) quand la nature faisait de même. À ces époques, le fait de ne rien faire pendant trois jours parce que le travail était terminé ne créait pas de sentiment de culpabilité ; il constituait plutôt la récompense légitime pour le travail accompli. L'humain était capable d'apprécier ces moments en toute quiétude.

Puis arriva la révolution industrielle et, un peu plus tard, le management scientifique. L'homme fut alors invité à travailler de manière continue, sans tenir compte du rythme des saisons ou même du mouvement du soleil dans le ciel. La production de masse, avec l'avènement des quarts de travail, permettait de faire rouler le capital nuit et jour, et les minutes passées à ne rien faire pouvaient justifier une mise à pied. Il fallait être (ou paraître) occupé pour conserver son emploi.

La technologie continua à évoluer. Il est maintenant possible de téléphoner depuis sa voiture ou sa douche. On peut prendre ses courriels n'importe où dans le monde. Il n'y a plus d'excuse pour ne pas travailler 24 heures sur 24, d'autant plus que l'être humain est maintenant submergé d'information. Vous traitez plus d'information par année que votre arrière-grand-père en a traitée dans toute sa vie.

Ce nouvel environnement laisse sa marque dans l'esprit et dans le corps des travailleurs. De plus en plus, on retrouve des cas de temps-dinite.

LA TEMPS-DINITE

Cette maladie s'attaque à **notre capacité d'apprécier l'instant présent**. Elle est causée par la crainte constante de manquer de temps et par le besoin qui en découle de se dépêcher, de planifier et de s'attendre au pire. La personne atteinte de temps-dinite se sent souvent dépassée par les événements. Toutefois, elle tient bon en se disant que, demain, elle aura plus de temps et pourra venir à bout du travail qui s'empile. Elle se dit que demain (ou la semaine prochaine), elle pourra enfin prendre une journée de congé. Elle raconte même à son conjoint que, la saison prochaine, ils pourront passer tout un week-end ensemble...

Dans son livre *Space, Time & Medicine*, le Dr Larry Dossey explique que, tout comme les chiens de Pavlov ont appris à saliver sans avoir de nourriture devant eux, nous avons appris à nous dépêcher même quand la situation ne l'exige pas. La clochette de Pavlov a été remplacée par le réveille-matin, le premier café de la journée et la montre-bracelet.

Dès que nous voyons ces objets, nous nous disons que le temps file, que la vie s'en va et qu'il faut se dépêcher.

Les symptômes de la temps-dinite sont nombreux et ses effets peuvent même être mortels.

1. *Les effets physiques*. Toujours selon le Dr Dossey, le besoin de se presser augmenterait le rythme de l'horloge biologique, ferait vieillir précocement et augmenterait les risques de problèmes cardiaques, de défaillances du système immunitaire ou de cancer. Mais ce n'est pas tout : d'autres symptômes guettent également les victimes de la temps-dinite : maux de tête chroniques, fatigue (les Japonais ont inventé un mot, *karoshi*, pour désigner la mort prématurée causée par un surplus de travail), l'insomnie, etc.

2. *Les effets psychologiques*. On devine que les effets psychologiques associés à la temps-dinite sont également nombreux. Mentionnons les plus courants.

   • L'anxiété. Les victimes de temps-dinite éprouvent un sentiment de crise imminente qui les empêche de se détendre. Ils en ignorent la cause, mais ils sentent que quelque chose, très bientôt, se produira et mettra leur univers en danger.

   • La culpabilité. Le travail remis en retard ou les promesses non tenues à cause d'une mauvaise gestion personnelle font grandir le sentiment de culpabilité et diminuer l'estime de soi.

- L'agressivité. Comment réagit la personne qui se sent pressée par le temps quand elle se retrouve dans une file à la banque, dans un embouteillage ou devant un collègue qui parle lentement ? Elle s'impatiente et risque de devenir agressive. Une fois la crise terminée, cette agressivité non contenue (et difficile à justifier) augmente encore plus son sentiment de culpabilité. On note également cette agressivité chez les entrepreneurs qui ont mal planifié le travail à exécuter et qui doivent le faire à toute vitesse. Quand ça arrive, tassez-vous !

- Le désordre mental. Sans un bon système de gestion personnelle, on risque un engorgement des ressources cognitives. Il est difficile, en effet, de garder à l'esprit l'ensemble de ses projets, les choses promises pour aujourd'hui, le litre de lait à acheter au dépanneur, le rendez-vous avec le professeur d'un enfant et la préparation de la rencontre de vendredi. À l'aide !

- Un sentiment d'impuissance. Si vous vous contentez de réagir à l'environnement, c'est ce dernier qui vous dictera vos gestes quotidiens et vous passerez peu de temps à réaliser vos propres rêves. Cela engendrera un sentiment d'impuissance et, avec le temps, une insatisfaction croissante.

3. *Les effets sociaux*. Les symptômes décrits plus haut ont aussi un effet sur vos rapports sociaux. Voici quelques conséquences néfastes.

- L'isolement. La personne dépressive ou agressive n'est pas la première qu'on invite à une fête. On ne souhaite pas qu'elle vienne alourdir l'ambiance. Elle sera donc souvent « oubliée ». Tout comme la personne envers qui l'on éprouve du ressentiment parce qu'elle livre régulièrement ses rapports en retard ou qu'elle oublie nos rendez-vous. La victime de temps-dinite est souvent mise de côté par ses collègues et ses amis.

- Les problèmes matrimoniaux. Loin des yeux, loin du cœur. Si vous ne gérez pas correctement vos activités au travail, vous devrez faire des heures supplémentaires. Ces absences, combinées à votre agressivité quand vous êtes à la maison, risquent de porter un dur coup à votre couple.

- Un plafonnement de carrière. Pourquoi donner une promotion à un employé dépressif, toujours en retard et à l'air malade ? Les patrons évitent ce genre de risque quand ils distribuent les promotions ou les mandats importants. En vous libérant de la temps-dinite, vous multipliez vos chances de promotion.

Ces trois séries d'effets (physiques, psychologiques et sociaux) créent rapidement un cercle vicieux. Chaque dégradation physique affecte la santé psychologique, ce qui nuit encore davantage aux relations sociales et entraîne une nouvelle dégradation physique.

Comment mettre un terme à ce cercle vicieux ? La première étape consiste à déterminer quels facteurs vous ont mené à la temps-dinite. Vous pourrez le faire en faisant le test proposé au prochain chapitre.

EST-CE PIRE AUJOURD'HUI ?

Oui. Le sentiment d'être dépassé par les événements et de manquer de temps est pire aujourd'hui qu'il y a une dizaine d'années à peine. Pourquoi ? Voici certains des facteurs qui ont contribué à la propagation de la temps-dinite. En lisant, demandez-vous **combien de ces facteurs vous affectent en ce moment**.

Les familles éclatées. Jadis vue comme un refuge, la famille est aujourd'hui souvent instable. Les gens n'ont plus une famille mais deux, trois ou quatre. Il faut adapter son horaire aux gardes partagées et gérer l'union actuelle sans trop s'engager afin de protéger ses acquis quand surviendra une séparation. Le fardeau imposé par cette nouvelle unité familiale peut rapidement nuire à votre emploi du temps.

Les rationalisations. Vous n'avez pas rêvé : il y a de plus en plus de travail et de moins en moins de personnes pour l'exécuter. Les vagues de rationalisation ont créé une race de survivants surchargés de travail, ce qui réduit le temps disponible pour les autres activités. Pour en savoir plus sur ce phénomène, lisez *Le kit du survivant*, un autre guide de la collection **S.O.S. BOULOT**.

L'abondance d'information. Depuis des années, on parle de l'importance de la veille technologique, mais on ne parle guère de son revers. Il existe aujourd'hui tellement de sources d'information que la personne qui souhaiterait tout savoir n'en aurait peut-être pas assez d'une vie. Votre but ne doit pas être de tout savoir mais bien de connaître les éléments qui vous aideront à atteindre vos objectifs.

Les nouvelles technologies. Êtes-vous capable de résister à une sonnerie de téléphone ? Pouvez-vous ne pas consulter vos courriels pendant quelques heures ? À quelle fréquence vérifiez-vous votre boîte vocale ? Les technologies, qui devaient nous libérer, nous ont asservis. Il est temps de redevenir maîtres de ces outils.

Il est effectivement plus difficile, aujourd'hui, de ne pas être victime de la temps-dinite. Pour éviter que cela arrive, il faut cesser de gérer son temps selon les méthodes traditionnelles.

LES SOLUTIONS TRADITIONNELLES

Autres temps, autres mœurs. Parce que le monde a changé, les méthodes de gestion du temps qui ont fait le succès des générations antérieures **ne garantissent pas le succès aujourd'hui**. Voyons en quoi les quatre prin-

cipaux moyens de gestion du temps risquent de vous pré-
cipiter en pleine crise de temps-dinite.

1. L'agenda

Des livres ont été écrits pour faire valoir des formes plus
ou moins élaborées d'agenda. Le message que renfer-
ment ces livres peut être résumé en quelques mots :
inscrivez toutes les activités que vous souhaitez accomplir
dans votre agenda et mettez au point des techniques qui
vous permettront de les réaliser toutes sans égard à ce qui
se passe autour de vous.

Bien entendu, il y a les crises imprévues, les collègues
absents et les clients qui exigent une attention immédiate. De plus, certaines tâches prennent plus de temps
que prévu et bousculent vos prévisions. Pour faire face à
ces réalités, les partisans de l'agenda suggèrent de donner un ordre de priorité aux activités (A1, B1, C1, A2, etc.)
et de s'adapter aux événements en reléguant à plus tard
les moins importantes. Cette approche présente quelques
inconvénients.

- Il est dévalorisant de passer ses fins de journée à
recopier dans son agenda les tâches qu'on n'a
pas eu le temps de faire dans la journée. Quand
pourra-t-on enfin tout faire ?

- Près de la moitié de la population (les créatifs)
n'apprécie pas planifier sa journée à l'avance

parce que cela lui enlève la spontanéité et la flexi-bilité qui rendent le travail agréable.

• Il est possible de faire beaucoup de choses en n'utilisant que l'agenda, mais comment savoir si cela nous rapproche de nos objectifs ?

2. Les listes de choses à faire

D'autres ont laissé tomber l'agenda pour recourir à des listes de choses à faire. Cette option est intéressante, mais elle présente quand même des inconvénients. Par exemple, on y retrouve souvent, pêle-mêle, des choses à faire, des projets à long terme et des projets peu définis. L'encadré suivant présente un exemple.

CHOSES À FAIRE

• Prendre rendez-vous chez le dentiste

• Apprendre l'allemand

• Réaliser le projet d'agrandissement

• _____

• _____

• _____

Que dire de cet exemple très représentatif de la réalité ? Qu'on y retrouve des activités qui nécessitent beaucoup de temps avant d'être menées à terme.

Si une personne décidait de faire tout ce qui figure sur sa liste quotidienne, elle se découragerait très vite et songerait à passer à un autre outil de gestion de productivité personnelle.

3. Les petits papiers

Il y a aussi les adeptes des petits papiers. Ces personnes notent tout sur de petits papiers (cahier, feuilles mobiles, papillons adhésifs, etc.) qu'elles laissent traîner un peu partout (sur le frigo, dans la voiture, dans un dossier, sur l'écran de l'ordinateur, etc.) en se disant que, de cette manière, elles n'oublieront rien.

Inutile de dire que cette méthode n'est pas infaillible. Il est plutôt gênant de finir par rappeler un client (qui attendait une réponse rapide) quatre semaines plus tard, quand on a retrouvé le petit papier dans le tiroir de sa table de nuit...

4. L'improvisation

Certains ont finalement compris que la vie est une suite d'événements inattendus et qu'il ne sert à rien de couler ses journées dans le béton. Par conséquent, ils ne planifient rien et s'adaptent aux événements à mesure que la journée avance.

Cette méthode a ses avantages mais elle présente également de nombreux inconvénients.

- La personne qui improvise court plus de risques de passer la journée à éteindre des incendies qu'à progresser dans la réalisation de ses projets.

- Parce qu'elle ne s'est pas fixé de priorités, cette personne trouvera difficile de dire non à un collègue qui lui demande un service et, à force de rendre service, elle peut devenir un faire-valoir à qui déléguer les tâches moins intéressantes.

D'un autre côté, l'improvisation est séduisante pour ceux que l'agenda rebute, mais elle ne permet pas de glisser sur le temps.

Pour véritablement glisser sur le temps, vous utiliserez ces quatre outils (et d'autres !) en même temps, tout en respectant votre rythme biologique et vos projets d'avenir. Cela semble compliqué ? Suivez-nous et découvrez que ce n'est pas le cas.

CHAPITRE 2

Les préparatifs

Ce chapitre porte sur ce que vous devez faire avant de commencer à glisser sur le temps. Vous y trouverez un **test** et un **exercice** qui vous fera prendre conscience de tout le travail que vous avez tenté d'éviter jusqu'ici. Ne faites pas semblant de ne pas comprendre! Si vous souffrez de temps-dinite, vous avez probablement amassé des piles de documents qui n'ont jamais été traités.

LE TEST

Les pages qui suivent présentent un questionnaire comportant 61 énoncés auxquels vous devez répondre par vrai ou faux. Détendez-vous et répondez à ces questions en fonction de vos comportements actuels et non par rapport aux comportements que vous aimeriez avoir.

	VRAI	FAUX
1. Il y a plus de 12 mois que je n'ai pas pris de vacances.	❏	☒
2. Je trouve cela stimulant quand quelqu'un m'interrompt alors que je parle.	❏	☒
3. Il m'arrive fréquemment de travailler tard ou pendant la fin de semaine.	❏	☒
4. Il m'arrive de ne rien faire de mes week-ends. C'est agréable de lézarder à l'occasion.	☒	❏
5. Des gens de mon entourage me disent régulièrement que je travaille trop.	☒	❏
6. Il m'arrive régulièrement de rêver éveillé.	❏	☒
7. J'apporte du travail en vacances.	❏	☒
8. Vivre, c'est prendre des risques.	❏	☒
9. J'ai besoin d'alcool, de cigarettes ou de café pour faire face à la pression au travail.	☒	❏
10. Il m'arrive régulièrement de me lancer dans des projets que je ne poursuis pas par la suite.	☒	❏
11. Je dois chaque jour subir de nombreuses interruptions qui ralentissent mon travail.	☒	❏
12. Il m'arrive souvent de « remettre à demain ce qui pourrait être fait aujourd'hui ».	☒	❏
13. J'ai tendance à ignorer les signaux de détresse que m'envoie mon organisme.	☒	❏
14. Il m'arrive régulièrement de changer mes projets à la dernière minute.	☒	❏
15. Je n'aime pas couler les choses dans le béton. Je préfère attendre avant de décider.	☒	❏

2 › *Les préparatifs*

16. Je ne me préoccupe pas vraiment de qui se passe dans mon industrie. C'est à peine si j'ai le temps de faire mon travail ! — ☐ ☒

17. Je suis trop pris par le travail pour bien planifier. Cela me fait souvent perdre du temps. — ☐ ☒

18. J'avoue que les erreurs des autres me font perdre beaucoup de temps. — ☐ ☒

19. Nous avons trop de réunions et elles ne sont pas fructueuses. Nous y perdons beaucoup de temps. — ☐ ☒

20. À cause des demandes autour de moi, je dois régulièrement changer mes priorités. — ☐ ☒

21. Quand je travaille et que je suis préoccupé, je suis moins efficace. — ☒ ☐

22. J'ai tendance à m'en mettre trop sur les épaules. Le syndrome du héros, peut-être... — ☒ ☐

23. Mon espace de travail est très encombré. Il arrive que je ne trouve plus certains documents. — ☒ ☐

24. Il me faut souvent attendre des réponses de mon conseil d'administration. C'est long ! — ☐ ☒

25. Mon ancienneté me permet de ne pas trop me préoccuper de la qualité de mon travail. — ☐ ☒

26. Je ne tente pas d'organiser mon travail. Je préfère m'adapter aux événements. — ☐ ☒

27. Je me sens moins stressé quand plusieurs solutions s'offrent à moi. — ☒ ☐

28. Je considère que travail et plaisir peuvent coexister. Je ne comprends pas qu'on les dissocie. — ☐ ☒

29. Il me manque certaines compétences administratives, mais je n'ai pas le temps de les acquérir. — ☐ ☒

	VRAI	FAUX
30. Dès que j'aurai repris le dessus, je pourrai m'occuper davantage de ma santé.	☒	❏
31. Je préfère commencer les projets plutôt que les terminer.	❏	☒
32. Mon rendement diminue fortement quand je me sens fatigué.	❏	☒
33. Parce que je veux absolument que le travail soit bien fait, j'éprouve de la difficulté à déléguer.	☒	❏
34. Si on me demande un service, j'ai beaucoup de difficulté à dire non.	☒	❏
35. Mes employés ne sont pas très compétents et je dois soit les superviser, soit reprendre leur travail.	☒	❏
36. Je dois faire beaucoup de représentation à l'extérieur et mon travail s'en ressent.	❏	☒
37. J'éprouve une certaine crainte à l'idée de déléguer des responsabilités.	☒	☒
38. Je n'arrive pas à m'imaginer faisant autre chose que ce que je fais actuellement.	☒	❏
39. Il m'arrive de ne pas retrouver certains dossiers.	❏	☒
40. C'est important de laisser les autres participer, quitte à partager la direction d'un projet.	☒	❏
41. Je rencontre rarement d'autres personnes que mes collègues de bureau, mes amis et les membres de ma famille.	☒	❏
42. Il m'arrive souvent de reporter des décisions parce que je n'ai pas assez d'information.	❏	☒
43. Il arrive qu'une information me soit mal communiquée et que je doive reprendre un travail.	❏	☒

	VRAI	**FAUX**
44. Je perds régulièrement du temps à cause d'un équipement défectueux ou mal adapté.	❏	☒
45. J'ai tendance à remettre à demain les tâches qui me semblent difficiles ou compliquées.	☒	❏
46. Je ne suis pas des plus ponctuels au travail mais je compense en terminant plus tard.	❏	☒
47. Devoir prendre une décision me rend souvent nerveux.	❏	☒
48. Je préfère la flexibilité à l'organisation.	❏	☒
49. Je ramène souvent à la maison mes problèmes professionnels. J'ai de la difficulté à décrocher.	❏	☒
50. Je socialise beaucoup avec tout ceux qui m'entourent. Ça me fait perdre du temps.	❏	☒
51. Il y a tellement de paperasse à remplir que j'ai l'impression de ne pas avancer.	❏	☒
52. Mon humeur est changeante. Les gens me trouvent passionné.	❏	☒
53. Je me rappelle avoir annulé des activités familiales à cause d'imprévus au travail.	❏	☒
54. Au moment de prendre des décisions, c'est souvent l'instinct qui me guide.	❏	☒
55. J'enfile les projets les uns à la suite des autres sans me permettre de pause.	☒	❏
56. Il est tout à fait normal de s'amuser au travail.	❏	☒
57. Je me sens souvent fatigué à l'idée de quitter la maison pour le travail.	☒	❏
58. Je trouve très agréable de changer la routine pour le simple plaisir de le faire.	❏	☒

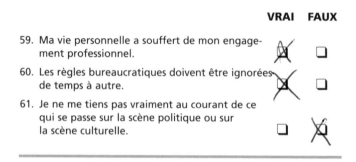

	VRAI	FAUX
59. Ma vie personnelle a souffert de mon engagement professionnel.	☒	☐
60. Les règles bureaucratiques doivent être ignorées de temps à autre.	☒	☐
61. Je ne me tiens pas vraiment au courant de ce qui se passe sur la scène politique ou sur la scène culturelle.	☐	☒

Pour tirer le maximum de ce test, nous le corrigerons en six étapes. Retenez toutefois qu'il n'a aucune prétention scientifique et que les résultats peuvent différer si vous y répondez en situation de crise ou alors que vous êtes au repos.

1. Votre vie est-elle équilibrée ?

Additionnez le nombre de fois où vous avez répondu « Vrai » aux énoncés 1, 3, 5, 7, 9, 53, 55, 57, 59 et 61. Le résultat peut varier de 0 à 10.

Si votre résultat est supérieur à 4, vous auriez intérêt à vous questionner sur l'équilibre de votre vie. Auriez-vous développé une compulsion face au travail ? Préférez-vous vivre pour travailler que travailler pour vivre ? Vous est-il possible de décrocher à l'occasion ? Il est important que vous commenciez, dans les plus brefs délais, à glisser sur le temps.

Si vous avez plus de 6, demandez-vous ce que vous tentez de fuir en vous réfugiant autant dans le travail.

2. Hémisphère gauche ou hémisphère droit ?

Les gens utilisent davantage un hémisphère de leur cerveau. Ceux qui privilégient l'hémisphère gauche aiment se rappeler qu'ils ont les deux pieds sur terre, qu'ils décident en fonction de critères logiques et qu'une bonne décision doit reposer sur le plus de faits possible.

À l'opposé, ceux qui privilégient l'hémisphère droit préfèrent la créativité à la logique. Ils n'approchent pas la résolution de problème de façon linéaire et préfèrent avoir une vue globale de la situation plutôt que de se concentrer sur les faits. Pour eux, travail et loisir peuvent cohabiter et il leur est facile d'imaginer l'avenir de façon optimiste.

Additionnez le nombre de fois où vous avez répondu « Vrai » aux énoncés 2, 4, 6, 8, 10, 52, 54, 56, 58 et 60. Le résultat peut varier de 0 à 10. S'il est égal ou inférieur à 5, il est probable que vous avez une préférence pour l'utilisation de l'hémisphère gauche de votre cerveau. Si votre score est supérieur à 5, vous préférez probablement utiliser l'hémisphère droit. Si tel est le cas, l'idée de gérer votre temps de manière très structurée vous fait probablement peur.

Votre productivité ne sera pas meilleure que vous utilisiez le côté gauche ou droit de votre cerveau ; vous devez simplement adapter votre routine à ce que vous êtes.

3. Sensibilité aux chronophages externes

Par « chronophages », nous entendons les « voleurs de temps », ces événements incontrôlables qui nuisent à la possibilité de glisser sur le temps. Certains chronophages sont externes (issus de votre environnement) tandis que d'autres sont internes (ils trouvent leur source en vous).

QUELQUES CHRONOPHAGES EXTERNES

- L'équipement déficient
- Les requêtes des collègues
- Les réunions inefficaces
- Les interruptions
- Les interventions de la direction
- Les procédures
- Les erreurs des collègues
- La paperasse
- La mauvaise communication

Additionnez le nombre de fois où vous avez répondu « Vrai » aux énoncés 11, 18, 19, 20, 24, 35, 36, 43, 44 et 51. Si votre score est supérieur à 4, vous devrez porter une attention particulière à votre environnement pour les activités des prochains chapitres.

4. Sensibilité aux chronophages internes

Les chronophages internes sont les habitudes que vous avez adoptées et qui nuisent à votre productivité. La tendance à remettre au lendemain ou un perfectionnisme trop développé sont des exemples de chronophages internes.

QUELQUES CHRONOPHAGES INTERNES

- La procrastination
- Le refus de déléguer
- Le désordre personnel
- L'incapacité à dire non
- Le manque de planification
- La fatigue
- La crainte de l'échec
- Un sentiment d'infériorité
- L'orgueil
- Une mauvaise écoute
- Une mauvaise évaluation du temps nécessaire pour accomplir une tâche
- Le bavardage

Additionnez le nombre de fois où vous avez répondu « Vrai » aux énoncés 12, 17, 21, 22, 23, 32, 33, 34, 37, 42, 45 et 50. Si votre score est supérieur à 5, vous devrez porter une attention particulière à vos comportements pour les activités des prochains chapitres.

5. Votre attitude fondamentale à l'égard du temps

Il existe deux attitudes fondamentales à l'égard du temps. Certains ont besoin d'en avoir la maîtrise en planifiant, en terminant les tâches à l'avance et en prenant une décision rapidement quand survient une situation imprévue.

D'autres préfèrent s'adapter aux événements à mesure qu'ils se présentent. Ces personnes accomplissent souvent leurs tâches à la dernière minute et elles n'hésitent pas, en cours de route, à suggérer des changements à ce qui avait été planifié.

Additionnez le nombre de fois où vous avez répondu « Vrai » aux énoncés 14, 15, 26, 27, 28, 31, 39, 40, 47 et 48. Si votre score est égal ou inférieur à 5, vous faites partie du premier groupe. Si votre score est supérieur à 5, vous faites partie du deuxième groupe.

Remarquez que ces deux attitudes fondamentales sont aussi valables l'une que l'autre. Tout simplement, pour bien glisser sur le temps, il convient de savoir dans quel camp l'on se trouve.

6. Les conflits de rôles

Quand vous vous retrouvez au boulot, vous avez trois rôles à jouer. Si vous en négligez un, cela a tôt ou tard des conséquences.

- *Vous êtes un être humain.* Si vous ne tenez pas compte des besoins de votre organisme, celui-ci vous laissera éventuellement tomber. Alors, vous ne serez plus en mesure de jouer vos autres rôles.

- *Vous êtes un employé.* Pour conserver votre emploi, vous devez atteindre un certain niveau d'excellence dans les tâches qui vous sont confiées.

- *Vous êtes votre propre gérant.* Vous devez également voir plus loin que votre emploi actuel et vous assurer de conserver votre employabilité. Vous devez développer des habiletés politiques et vous tenir au courant de ce qui se passe dans votre industrie. Il vous faut rencontrer des gens et acquérir les connaissances qui vous font défaut.

Additionnez le nombre de fois où vous avez répondu « Vrai » aux énoncés 13, 16, 25, 29, 30, 38, 41, 46 et 49. Si votre score est supérieur à 4, vous vivez probablement des conflits de rôles.

Certaines des dimensions que nous venons de traiter se chevauchent mais toutes sont importantes. N'hésitez pas à revenir consulter vos résultats tout au long de la lecture des prochains chapitres.

LE GRAND MÉNAGE

Si vous êtes comme la majorité des personnes pressées par le temps, un bon ménage s'impose chez vous et sur les lieux de votre travail. L'activité qui suit ne sera pas agréable. Vous la trouverez difficile, mais elle constitue un préalable essentiel à une meilleure gestion de vos journées.

1. *Les piles.* Commencez par déterminer où vous avez l'habitude de cacher vos documents au bureau. Avez-vous une pile de contrats terminés, une pile de notes de frais, une pile de magazines que vous vous promettez de lire un jour, une pile de documents jadis consultés mais jamais remis à leur place, etc.? Prenez toutes ces piles et faites-en une seule.

2. *Les petits papiers.* Partez maintenant en quête des petits papiers et des papillons adhésifs que vous avez éparpillés partout: dans votre agenda, sur l'écran de votre ordinateur, dans votre serviette, dans votre portefeuille, dans vos dossiers, etc. Placez ces petits papiers sur votre pile de documents, qui doit maintenant faire quelques mètres de hauteur.

3. *Les autres piles.* Il existe d'autres endroits où vous avez caché des documents liés à votre travail au lieu de les traiter. Commencez par nettoyer votre domicile: le frigo, votre bureau, votre ordinateur, votre table de chevet, le dessous de votre lit, etc. Puis attaquez-vous à votre voiture, à votre bateau et à votre chalet.

Ramenez ces piles dans votre pile principale. Quelle hauteur a-t-elle maintenant ?

4. *Vos projets.* Si vous avez lu *Pourquoi travaillez-vous ?*, un autre guide de la collection **S.O.S. BOULOT**, vous avez probablement quelque part des listes de projets et des listes d'étapes nécessaires (les objectifs intermédiaires) pour réaliser ces projets. Placez ces listes sur la pile et, si cette dernière menace de tomber, séparez-la en deux.

5. *Vos préoccupations.* Y a-t-il des choses qui ne sont pas dans la pile mais qui vous trottent dans la tête ? Un anniversaire à ne pas oublier ? La promesse faite à un collègue de le rappeler ? Si de telles choses vous encombrent encore l'esprit, inscrivez-les sur d'autres feuilles que vous placerez sur la pile.

6. *Le constat.* Reculez maintenant de quelques pas et regardez votre création. Pensiez-vous que vous aviez autant de travail oublié ? Êtes-vous surpris devant l'ampleur de la tâche qui vous attend ? Comprenez-vous d'où vient votre sentiment de crise imminente ? Aussi invraisemblable que cela puisse paraître, vous vous débarrasserez de cette pile au cours du prochain chapitre.

7. *Le grand ménage, phase 2.* Il est trop tôt pour le faire, mais tôt ou tard, vous devrez faire le même travail avec vos papiers personnels.

CHAPITRE 3

Organisez-vous !

Glisser sur le temps nécessite de relever trois défis. Dans un premier temps, **il vous faut vous doter d'outils** qui vous libéreront l'esprit de tous ces engagements qui engorgent votre horaire. Dans un deuxième temps, il faut que vous sachiez en tout temps quelles sont les activités que vous **devez obligatoirement réaliser** dans une journée donnée. Finalement, vous devez être en mesure de **faire avancer vos projets** jour après jour, sans ressentir de stress malsain.

Le chapitre précédent vous a permis de mieux vous connaître et d'élever une immense pile de documents disparates dans votre bureau. Cette pile vous agace et vos collègues se demandent ce que vous allez en faire. Vous aimeriez bien vous y attaquer tout de suite, mais vous n'avez pas l'infrastructure nécessaire pour vous en débarrasser. Cela viendra avec la première section de ce chapitre.

VOTRE BOÎTE À OUTILS

Quels outils vous faut-il pour glisser sur le temps ? Nous en dressons la liste dans cette section. Bien utilisés, ces outils vous aideront à réduire votre stress au travail.

1. La liste « En attente »

Il y a des projets que vous ne pouvez poursuivre parce que vous avez passé la balle à une autre personne et que vous devez attendre de ses nouvelles pour reprendre le travail.

> ➤ Johanne : « Je suis responsable du journal interne de l'entreprise, mais je suis bloquée une fois que les textes sont à la révision linguistique. Je dois attendre. »

> ➤ Luc : « Préparer les statistiques de ventes pour le conseil d'administration ne me prend pas beaucoup de temps. Mais je dois les faire approuver par mon patron avant de compléter le rapport final. »

Si vous gardez ces dossiers en attente dans votre tête, vous ajouterez à l'engorgement de votre esprit au lieu de le diminuer. Prenez plutôt une feuille de papier (ou la page d'un cahier) et dessinez un tableau qui vous aidera à suivre tous les projets en attente en mentionnant ce que vous attendez, le nom de la personne à qui le mandat est confié, la date à laquelle vous devriez avoir des nouvelles ; le tout suivi d'une case Commentaire. Voici un exemple tiré de la liste « En attente » de Johanne.

DESCRIPTION	NOM	DATE	COMMENTAIRE
Révision des textes	Lyne (563-5839)	12/12/03	

Johanne n'a plus à y penser ni à inscrire dans son agenda la date où elle rappellera Lyne. Un simple coup d'œil à sa liste « En attente » suffit à le lui rappeler. De plus, si Lyne travaille lentement et qu'il faut la rappeler régulièrement pour s'assurer de la progression de la révision, Johanne pourrait écrire « Rappeler toutes les semaines » dans la colonne Commentaire. Mais il n'en est rien.

2. L'agenda

Qu'il soit petit ou gros, qu'il tienne dans une poche ou dans une mallette, qu'il soit informatisé ou non, l'agenda est une composante importante de votre boîte à outils. En autant que vous respectiez une règle.

> *N'inscrivez que des actions que vous voulez ou que vous devez absolument faire cette journée-là.*
> *Oubliez tout ce qui peut être reporté.*
> *D'autres outils vous aideront à gérer cela.*

Vous inscrirez donc vos rendez-vous, les réunions, les activités de production obligatoires pour conserver votre emploi et vous omettrez le reste.

Si vous ne juriez jusqu'ici que par votre agenda, vous trouverez difficile au début de le voir à moitié vide ou de n'avoir qu'une inscription pour une journée donnée. Mais la chose a ses bons côtés : il est maintenant fini le temps où, en fin de journée, vous deviez reporter à une autre date les activités qui avaient été oubliées dans la tourmente de la journée. Il est également parti, ce sentiment négatif associé au fait de ne pas avoir pu faire tout ce que vous aviez prévu.

3. Le calepin

Le cerveau est un outil merveilleux d'où peut, quand on s'y attend le moins, jaillir de grandes idées. Les meilleures idées peuvent se présenter au lever, dans un embouteillage ou pendant une rencontre.

Il faut les saisir au moment où elles se présentent, car elles ne reviennent pas nécessairement. C'est pourquoi vous devriez avoir un calepin dans votre boîte à outils. Il peut s'agir du calepin traditionnel qu'on traîne dans une poche ou d'un dictaphone. Mais saisissez vos idées au vol !

4. Un système d'archivage

Il y a des choses dont vous n'avez pas besoin dans le cadre de votre travail quotidien, mais que vous souhaitez conserver parce qu'elles pourraient être utiles un jour. Il peut s'agir de vieux contrats, de matériel de référence, de magazines, etc.

Trop souvent, on place tous ces documents dans une pile qu'on abandonne ensuite ou on les range dans des boîtes. Ce « système » rend impossible de trouver rapidement un document au moment où l'on en a besoin. Or, un document inaccessible est soit un document sans valeur, soit du gaspillage de temps.

Pour glisser sur le temps, vous devez vous doter d'un système de classement efficace pour archiver ces documents dont vous aurez besoin un jour ou que vous n'arrivez pas à jeter. Vous pouvez utiliser des classeurs ou des boîtes de rangement, mais assurez-vous de pouvoir tout retrouver en moins de trois minutes.

5. La liste des « prochaines actions »

Jetez un coup d'œil aux listes de projets que vous avez commencées depuis votre lecture de *Pourquoi travaillez-vous ?* Que se passerait-il si vous indiquiez, par exemple, « Projet d'agrandissement » dans votre agenda ?

Il est probable qu'à chaque fois vous sortiriez la liste des étapes et recommenceriez la planification en ajoutant des étapes ou en modifiant l'ordre prévu. Mais une fois ce travail effectué, votre projet n'aurait pas vraiment avancé. La planification est souvent un refuge pour ceux qui souffrent de procrastination.

Dressez donc une liste qui contiendra, pour tous vos projets, les prochaines actions à entreprendre. En consultant cette liste quand vous aurez du temps libre, vous pourrez accomplir une étape et vous rapprocher de vos objectifs.

Une telle liste pourrait ressembler à ce qui suit. Elle présente, ligne par ligne, la prochaine action à faire et le projet auquel elle se rattache, ainsi qu'une colonne où on peut inscrire quelques notes.

PROCHAINE ACTION	NOM DU PROJET	NOTE

6. La poubelle

La poubelle est un contenant dans lequel on peut jeter les choses qui ne sont plus d'aucune utilité. Elle peut être en plastique ou en métal et certaines personnes y adjoignent même une déchiqueteuse.

Nous savons que vous avez de la difficulté à vous débarrasser des choses inutiles. Mais vous aurez besoin d'un tel article pour glisser sur le temps. Nous verrons, dans les prochaines pages, les critères qui vous aideront à décider de ce que vous jetez et de ce que vous conservez.

7. Le bac à courrier

Il s'agit d'un espace où vous placerez tous les documents à mesure qu'ils arrivent dans votre bureau, une fois que vous serez parvenu à éliminer votre grande pile.

8. Le classeur des actions repoussées

C'est le dernier élément de votre infrastructure de productivité personnelle. Il s'agit d'une série de 43 chemises, suspendues ou non, que vous placez dans le tiroir d'un classeur ou dans un cadre de métal.

Douze de ces chemises seront identifiées aux mois de l'année tandis que les autres porteront les chiffres 1 à 31. Elles seront placées de sorte que la première chemise disponible correspondra à la journée en cours.

Si nous sommes le 1er janvier, par exemple, les chemises seront placées ainsi : 1 à 31, puis février à janvier. Si nous sommes le 6 juin, elle se présenteront ainsi : 6 à 31, puis juillet, puis 1 à 5, puis finalement août à juin.

La filière des actions repoussées compose un calendrier perpétuel qui vous permet de prévoir certaines tâches sans les inscrire dans votre agenda. Ainsi, si nous sommes

le 6 juin et que vous receviez une invitation pour une formation dont la date limite d'inscription est le 18 juin,
vous mettez simplement l'invitation dans la chemise 18
et, le 18 au matin, vous déciderez si vous vous inscrivez
ou si vous jetez l'invitation.

Chaque jour, après avoir vidé la chemise de la journée en
cours, vous la ferez passer au mois suivant.

LE PREMIER TRI

Votre infrastructure est maintenant en place. Vous êtes
prêt à vous débarrasser de l'imposante pile qui trône
dans votre espace de travail. Pour y parvenir, suivez cette
démarche en huit étapes :

1. *Commencez par l'article du dessus.* Que ce soit un
   magazine, un papillon adhésif, une facture, une note
   de frais ou la planification d'un projet, ne succombez
   pas à la tentation de replacer cet article plus bas dans
   la pile. Si vous le faites, vous ne viendrez jamais à bout
   de votre pile parce qu'il vous restera toujours des articles que vous ne souhaiterez pas traiter.

2. *Pouvez-vous jeter cette chose ?* C'est la première question à vous poser. Si cet article n'est plus nécessaire,
   pourquoi le laisseriez-vous dans votre aire de travail ?
   Pour prendre une décision éclairée quand on a tendance à ne rien vouloir jeter, il suffit de respecter les
   règles qui suivent :

- Ne jetez pas l'article si vous êtes tenu par votre entreprise ou par le gouvernement de le conserver pendant une période donnée. Ne le jetez pas non plus s'il est nécessaire à l'accomplissement de votre travail, s'il assure votre crédibilité (un certificat ou un diplôme, par exemple), s'il risque de prendre de la valeur, si vous y attachez une valeur sentimentale, si vous risquez d'en avoir besoin à un moment donné ou si vous pensez qu'un de vos héritiers pourrait l'apprécier ;

- Jetez l'article s'il est inutile, s'il est endommagé, s'il est démodé ou si vous ne l'avez jamais aimé.

Vous serez surpris, à cette étape, du nombre de papiers apparemment indispensables qui deviennent tout à coup inutiles.

3. *Pouvez-vous archiver cet article ?* Si vous n'en avez pas besoin et qu'aucune action n'est requise pour traiter cette chose (un magazine, par exemple), ne la remettez pas dans la pile et ne créez surtout pas une nouvelle pile ! Utilisez votre système d'archivage pour la classer. Vous pourrez toujours y revenir plus tard.

S'il s'agit d'une liste de projets ou de la planification d'un projet, glissez-la dans la chemise « Projets » de votre système d'archivage.

4. *Pouvez-vous le refiler à un collègue ?* Par exemple, si ce document relève de la comptabilité et que vous tra-

vaillez aux ventes, ce n'est pas à vous de l'archiver. S'il s'agit d'un magazine sur les pratiques d'achat, offrez-le aux gens des achats. Bref, si vous pouvez vous débarrasser de l'article en le passant à une personne qui en a besoin, faites-le ! Votre pile en sortira soulagée.

Prenez toutefois le temps, si vous confiez quelque chose à un collègue qui doit vous en donner des nouvelles par la suite, de l'inscrire dans votre liste « En attente ».

5. *Pouvez-vous le traiter immédiatement ?* Ne réfléchissez pas 10 minutes avant de reporter une tâche qui peut être effectuée en 5 minutes. S'il s'agit d'une invitation à une journée de formation et que vous comptez y aller, inscrivez-vous-y immédiatement. Vous ne croyez pas que vous irez ? Jetez-la. Si vous avez besoin d'une autorisation pour vous inscrire, faites-en la demande et inscrivez-la dans votre liste « En attente ». Puis, placez l'invitation dans la chemise « Projets de formation » de votre système d'archivage.

6. *Pouvez-vous la reporter à plus tard ?* S'il s'agit, par exemple, d'un formulaire gouvernemental à compléter quelques jours avant la fin du mois, placez-le dans la chemise numéro 22 de votre filière des actions repoussées. De cette manière, vous vous en occuperez le matin du 22.

7. *S'agit-il d'une idée de projet ?* Si c'est une idée de projet que vous avez eue il y a quelque temps, le temps
écoulé vous permettra de mieux l'évaluer et de
décider si elle vaut la peine de devenir un projet offi-
ciel. Dans la négative, jetez le papier dans la poubelle.
Dans l'affirmative, ouvrez un dossier de projet.

8. *Reprenez le processus.* Voilà ! Le premier article a
maintenant été traité. Reprenez le processus jusqu'à
ce que cette pile n'existe plus. Mais attention !

   • Préparez-vous, à mesure que vous verrez la pile
   fondre, à ressentir une fierté légitime. Sans vous
   l'avouer, vous n'aviez jamais pensé venir à bout
   de cette pile et c'est pourquoi vous l'aviez dis-
   simulée en la divisant et en la laissant traîner un
   peu partout.

   • Cette fierté sera bientôt remplacée par un sentiment de liberté, découlant d'une réduction de
   votre stress. C'est normal : vous avez commencé à
   désengorger votre cerveau.

Selon son importance, la pile peut prendre d'une heure
à quelques jours à éliminer. Ne vous étonnez pas si vous
n'avez pas terminé à la fin de la journée et n'oubliez
pas, pendant que vous la traitez, de continuer à respecter vos autres engagements.

LA MISE AU POINT DE VOTRE MATÉRIEL

Nul ne peut glisser sur le temps et s'acquitter sans stress de ses responsabilités s'il doit utiliser du matériel endommagé ou périmé. La personne la plus zen au monde aura de la difficulté à conserver son calme si un tiroir de classeur qu'elle ouvre 10 fois par jour reste coincé 1 fois sur 2. Voici quelques conseils qui vous permettront de faire face à ces objets qui vous donnent du fil à retordre.

- Si votre **ordinateur** fait des siennes, perd des fichiers ou gèle régulièrement, faites-le réparer. Ne jouez pas au bûcheron qui ne prend pas le temps d'aiguiser sa hache dans l'espoir de couper plus d'arbres. Peu importe l'effort fourni, une hache émoussée coupe moins.

- Vos **classeurs** vous causent-ils du stress ? Si les tiroirs fonctionnent mal et que vous devez vous battre pour les ouvrir, vous vous énerverez au travail.

- Les **piles** de votre dictaphone sont-elles à plat ? Si oui, combien d'idées géniales perdrez-vous avant de les changer ?

- Votre **fauteuil** est-il ajusté ? Assurez-vous que votre posture de travail ne nuit pas à votre circulation sanguine ni à votre système musculaire.

FACILITEZ-VOUS L'EXISTENCE

Terminons ce chapitre avec des trucs susceptibles de vous simplifier la vie. Certains conviendront à votre situation et d'autres moins.

• Si les embouteillages vous énervent, partez un peu plus tôt le matin et assurez-vous d'avoir avec vous un CD que vous appréciez. Mieux encore : déménagez plus près de votre lieu de travail.

• Si vous pouvez commencer vos journées de travail plus tôt, faites-le. Vous éviterez ainsi les embouteillages et pourrez abattre beaucoup de travail avant les premières interruptions (appels téléphoniques, collègues, etc.). Vous pourriez également commencer plus tard et terminer quand le téléphone s'est enfin tu.

• Si vos obligations financières actuelles vous forcent à faire des heures supplémentaires dont vous n'avez pas envie, lisez *Bien payé mais toujours cassé*, un autre guide de la collection **S.O.S. BOULOT**. Cette situation ne doit pas durer.

• Si vous partez en vacances et que vous prévoyez revenir un lundi, annoncez à tout le monde que vous serez de retour le mardi. Vous serez tranquille le lundi de votre retour et pourrez venir à bout de la pile qui se sera accumulée pendant votre absence.

• Dotez-vous d'une adresse de courriel au bureau et d'une autre à la maison. De cette manière, votre boîte de courriels au bureau ne sera pas engorgée de messages sans rapport avec votre travail. Au fait, pourquoi ne pas suggérer à votre patron que vous pourriez travailler une journée par semaine à votre domicile ?

- Quel que soit le moment de la journée, souriez intérieurement. Un sourire interne favorise la production d'endorphine et vous rend moins sensible au stress. Allez, souriez !

- Acceptez ce que vous ne pouvez pas modifier. Vous ne pouvez pas changer la personnalité d'un collègue et vous n'avez aucun pouvoir sur la température. Investissez vos efforts là où ils auront un véritable effet.

- Prenez le temps de manger. En sautant un repas, vous ne gagnez pas vraiment de temps, parce que votre organisme ne pourra fournir l'énergie dont vous avez besoin pour avancer.

En vous débarrassant de tous les vieux documents qui encombraient votre espace de travail et votre esprit, vous avez accompli de grandes choses dans ce chapitre. De plus, vous vous êtes doté d'une infrastructure qui vous permettra dorénavant de glisser sur le temps. Vous vous demandez sans doute comment se dérouleront dorénavant vos journées ? Passez au prochain chapitre.

CHAPITRE 4

Surfer sur
chaque journée

C e chapitre vous montrera comment glisser sur le temps au quotidien, une fois votre infrastructure en place et votre pile disparue. Au cours de cette démonstration, nous suivrons Marie, une cadre intermédiaire dans une entreprise de communication.

UNE JOURNÉE TYPE

Nous passerons plusieurs heures avec Marie. Au moment où nous la rejoignons, il est 8 h et elle se trouve dans son auto, en plein cœur d'un embouteillage.

8 h 15. Malgré la circulation qui avance à pas de tortue ce matin, Marie sourit. Elle écoute le dernier CD de Céline Dion et songe à la rencontre qu'elle aura cet après-midi avec un nouveau client. Tout à coup, une idée de slogan lui vient en tête. Marie enregistre aussitôt cette idée sur le petit dictaphone qu'elle a toujours sur elle.

8 h 35. Marie aime se présenter au travail quelques minutes avant que ne débute l'assaut des appels téléphoniques. Elle en profite pour consulter son agenda. Une seule activité y figure aujourd'hui : le rendez-vous avec le client à 13 h 30. Elle s'assure que son dossier de présentation se trouve bien là où elle l'a laissé la veille, dans sa mallette avec son ordinateur portable.

8 h 45. Marie jette un coup d'œil à son bac à courrier. Il est vide (elle est venue à bout de sa pile !) car le courrier n'est distribué que vers 10 h. Tout au long de la journée, des choses y apparaîtront, à mesure que les télécopies ou les requêtes des collègues entreront, mais, pour l'instant, il est vide.

8 h 50. Marie décide de profiter de l'arrivée de ses collègues pour se faire un café et socialiser un peu. Cela lui permet d'entretenir des relations harmonieuses avec tout le monde et d'apprendre les derniers potins. Un collègue lui demande si elle compte participer au tournoi de quilles du bureau. Elle répond oui et s'inscrit aussitôt en rappelant à tous qu'elle ne s'attend pas à battre des records.

9 h. Marie sort sa liste « En attente » pour la consulter. Elle remarque qu'elle aurait dû recevoir hier des nouvelles de son graphiste et d'un client de Québec. Elle communique avec son graphiste pour régler la situation.

9 h 10. Le graphiste s'excuse de son retard et lui promet une épreuve pour le lendemain. Marie l'inscrit dans sa liste « En attente », puis s'apprête à appeler le client de Québec quand Jacques, un collègue, fait irruption dans son bureau. Jacques explique qu'il aurait besoin de son avis sur la proposition d'affaires qu'il doit présenter à un client demain après-midi. Marie ne peut lui consacrer de temps pour l'instant, mais lui explique que s'il lui laisse le dossier, elle y jettera un œil en revenant de son rendez-vous cet après-midi. Elle lui propose même une rencontre pour en discuter vers 16 h. Jacques est ravi et quitte le bureau pendant que Marie inscrit ce nouveau rendez-vous à son agenda.

9 h 15. Marie appelle son client de Québec. Ce dernier n'est pas disponible, mais on l'assure qu'il rappellera dans la journée. Marie en prend note (« Appelé client le 16 mars à 9 h 15 – doit rappeler ») dans sa liste « En attente ».

9 h 20. Marie ouvre le classeur des actions repoussées et en sort la chemise du jour. Deux activités sont à l'horaire : son inscription pour le colloque de Winnipeg et la confirmation de sa présence au défilé de mode d'un client designer. Elle complète la fiche d'inscription pour Winnipeg, la télécopie aussitôt, puis téléphone au client pour lui confirmer sa présence. Après l'appel, elle inscrit dans son agenda la date et l'heure du défilé de mode.

9 h 58. Bertrand passe par le bureau de Marie et dépose son courrier dans le bac. Elle entreprend de passer la pile en revue (huit articles à traiter) quand sonne le téléphone. Il s'agit de son photographe, qui lui annonce qu'il ne pourra se présenter à temps chez un client. Aussitôt, Marie raccroche et contacte un autre photographe pour le remplacer.

10 h 45. Marie a terminé le traitement des 10 articles (2 télécopies se sont ajoutées pendant qu'elle réglait son problème de photographe) de son bac à courrier. Comme il lui reste du temps avant 11 h 30 (c'est l'heure où elle a prévu de réviser le dossier de présentation du client qu'elle rencontre à 13 h 30), elle jette un œil à sa liste des prochaines actions, cible deux actions (réserver un vol pour Paris en juin et relire sa 32e leçon d'espagnol) qu'elle a le temps de faire tout de suite, les exécute, puis les biffe sur sa liste. Deux de moins, ça fait du bien !

11 h 30. Marie entreprend de réviser son dossier de présentation pour la rencontre de 13 h 30. Elle est interrompue deux fois par des collègues à qui elle prend le temps de répondre. À 12 h 10, elle estime qu'elle maîtrise assez bien le dossier pour se permettre un bon dîner.

13 h 30. Début de la rencontre chez le client (au centreville où elle s'est rendue en taxi). Celle-ci se déroule bien et tout indique qu'elle aura le contrat.

14 h 50. Retour au bureau et coup d'œil à son bac à courrier. Une nouvelle télécopie s'y trouve. C'est une publicité qu'elle s'empresse de jeter. Elle prend ensuite ses courriels et les messages sur sa boîte vocale, puis rappelle le photographe qui lui raconte comment s'est passée la séance.

15 h 15. Prenant son courage dans une main et son stylo rouge dans l'autre, Marie entreprend de réviser le document de Jacques. En 15 minutes, le texte est annoté et elle est prête pour leur rencontre de 16 h.

15 h 30. Marie dispose d'une demi-heure avant de rencontrer Jacques. Elle ressort sa liste des prochaines actions et en relève une qui ne prendra pas plus de temps à accomplir. Une fois l'action faite, elle la biffe. Et une de moins !

16 h 02. La rencontre avec Jacques se déroule rondement. La structure de son texte est irréprochable et ses seuls commentaires touchent certaines tournures de phrases et quelques coquilles.

16 h 35. Marie prend quelques instants pour passer voir son patron et lui expliquer comment s'est passée la rencontre avec le client. Elle lui annonce qu'elle attend une réponse favorable dans les prochains jours.

Avant de continuer à suivre la journée de Marie, prenons quelques instants pour résumer comment elle réussit à glisser sur le temps. Le graphique de la page suivante nous aidera à le faire.

Remarquez qu'elle commence sa journée en consultant son agenda. Les rendez-vous obligatoires de la journée sont les seuls éléments qui encombreront sa pensée pen-

dant la journée. Ce sont en effet les seules actions aux-
quelles se rattache une heure précise.

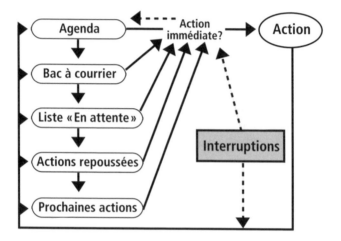

Si elle n'a aucune obligation immédiate, Marie passe à
l'étape suivante, laquelle pourra être, dans l'ordre, le bac
à courrier (pour Marie, cela inclut également les courriels
et les messages sur la boîte vocale), la liste « En attente »,
la liste des actions repoussées ou la liste des prochaines
actions. Chaque fois, si une action immédiate est requise,
Marie l'entreprend. Si ce n'est pas le cas, elle passe à la
liste suivante.

Remarquez que la liste des prochaines actions vient en
dernier. C'est normal puisqu'elle présente des projets à
moyen ou à court terme. Soulignons finalement que les

interruptions se présentent à tout moment dans la journée et qu'elles sont gérées à mesure qu'elles se présentent. Elles peuvent être soit traitées immédiatement (comme pour le photographe incapable de s'acquitter de sa tâche), soit reportées à plus tard (comme la rencontre avec Jacques).

En utilisant ce modèle, vous pouvez glisser tout au long de la journée sans avoir l'impression d'être agressé et sans considérer les interruptions comme des événements qui brisent votre rythme. Ces dernières font partie de vos journées.

De plus, vous pouvez abattre plus de travail (et sentir la fierté s'emparer de vous) les jours où votre énergie est maximale et produire moins (sans vous sentir coupable) les jours où vous êtes moins en forme. Dans les deux cas, vous respectez tous vos engagements formels.

16 H 45 : LA RÉFLEXION DE FIN DE JOURNÉE

À 16 h 45, Marie éteint son ordinateur et consulte une dernière fois son agenda de la journée pour s'assurer que tout ce qui était prévu a été réalisé. Si ce n'était pas le cas, elle devrait remettre en question sa discipline personnelle.

Avant de partir, elle vérifie également son agenda du lendemain, question de s'assurer qu'elle ne sera pas prise au dépourvu, qu'elle est prête pour ce qui s'annonce. Si elle n'était pas prête pour un rendez-vous, elle terminerait plus tard ce soir ou elle commencerait plus tôt demain matin.

Cette réflexion de fin de journée présente plusieurs avantages, notamment :

- *Elle est valorisante.* Il est agréable de constater que vous vous êtes acquitté de toutes vos obligations et que vos projets ont avancé.

- *Elle nourrit votre subconscient.* Si vous savez que vous devrez trouver une solution créative à un problème donné demain matin, votre subconscient se met tout de suite en branle et vous pourriez être très surpris, au matin, d'avoir déjà la solution en tête.

- *Elle peut devenir un rituel* qui clôt la journée et ainsi signifier qu'il est temps de penser à vos autres rôles.

Donnez-vous la peine de faire une petite pause en fin de journée pour réfléchir à votre journée. Si vous ne pouvez le faire au travail, faites-le sur le chemin du retour.

Le vendredi après-midi

Le vendredi, vers 16 h 30, Marie revoit ce qu'elle a accompli pendant la semaine et elle apporte des modifications à ses listes. Cela lui permet de faire le point, d'ajuster ses actions et de mieux planifier la semaine à venir. Elle quitte le travail sans ressentir le besoin de le traîner toute la fin de semaine avec elle. Voyons comment elle s'y prend, étape par étape.

1. *L'agenda de la semaine écoulée.* Marie commence par jeter un coup d'œil à l'agenda de la semaine écoulée, question de s'assurer qu'elle n'a pas oublié quelque chose. Si tel était le cas, il lui resterait 30 minutes pour y remédier.

   Par exemple, si elle avait promis au client rencontré en début de semaine de lui télécopier un document supplémentaire et qu'elle avait omis de le faire, elle pourrait l'envoyer avant de partir en week-end. Mais il n'en est rien.

2. *Le dictaphone.* Marie écoute ensuite les notes qu'elle a prises toute la semaine sur son dictaphone (la lecture du calepin peut remplacer l'écoute du dictaphone). Si ces idées lui paraissent encore bonnes, elle peut les classer dans la liste appropriée ou dans son agenda.

   Par exemple, elle a pensé, cette semaine, augmenter sa crédibilité professionnelle en s'inscrivant à un programme de MBA pour cadres en exercice. Si l'idée lui sourit encore, elle pourrait soit ouvrir une fiche projet intitulée « MBA », soit inscrire dans sa liste des prochaines actions « Communiquer avec trois universités et demander de l'information sur les programmes MBA pour cadres en exercice ».

3. *La liste des prochaines actions.* Marie consulte ensuite sa liste des prochaines actions en se concentrant sur les

points qu'elle a biffés tout au long de la semaine. Les actions que nous l'avons vue exécuter correspondaient à des objectifs intermédiaires dans sa liste de projets :

- Son inscription au colloque de Winnipeg correspond à son désir de formation continue.

- La confirmation de sa présence au défilé de mode fait partie de son projet de fidélisation de la clientèle.

- La lecture d'une leçon d'espagnol (la 32e) et la réservation du vol pour Paris font partie de deux projets personnels.

Marie doit maintenant ajouter à sa liste des prochaines actions les quatre actions suivantes (pour chacun de ces quatre projets). Elle consulte donc ses listes de projets, raye l'action faite pendant la semaine et retranscrit l'étape suivante dans sa liste des actions suivantes, qui est maintenant à jour.

4. *Les projets en cours.* Ensuite, Marie consulte ses projets en cours, les modifie si elle juge à propos de le faire et considère si les échéances fixées seront respectées. Dans l'affirmative, elle passe à l'étape suivante. Dans la négative, plusieurs choix s'offrent à elle.

- Modifier l'échéancier. Elle pourrait, par exemple, choisir de repousser la date d'un voyage ou la date à laquelle elle souhaite parler l'espagnol.

- Remettre en question l'importance du projet. Si Marie ne s'investit pas dans un projet donné, c'est peut-être qu'il ne l'intéresse plus. Il est toujours possible d'abandonner un projet s'il a perdu sa raison d'être.

- Intégrer les prochaines étapes du projet à son agenda. Si Marie a tendance à choisir des activités qui ne se rapportent pas au projet négligé, elle pourrait contourner ce problème en intégrant les prochaines actions liées à ce projet à son agenda. Comme les entrées de l'agenda sont prioritaires, Marie rattraperait ainsi le temps perdu.

5. *L'agenda de la semaine prochaine*. Avant de partir en week-end, Marie consulte son agenda de la semaine prochaine. Cela lui permet une autre fois de s'assurer qu'elle n'a rien oublié en prévision de ces engagements. Sur ce, le sourire aux lèvres, elle quitte pour la maison.

Est-ce si simple ?

À la lecture de cette routine hebdomadaire, vous vous êtes peut-être dit que Marie est insouciante, qu'elle ne fait que ce qu'elle veut bien faire et que vous ne pourriez jamais adapter cette approche à vos journées.

Marie n'est pas insouciante. En fait, elle abat plus de travail qu'à l'époque où elle courait partout. Elle ne fait pas ce qu'elle veut ; elle fait **ce qui est nécessaire** pour réaliser les projets auxquels elle tient. Marie a appris à surfer. Au lieu d'être écrasée par le temps, elle glisse sur celui-ci en fonction de l'énergie dont elle dispose et des interruptions qui surviennent dans son horaire. Vous pouvez, vous aussi, devenir un surfeur hors pair et apprendre à glisser sur le temps.

Ces méthodes peuvent être suivies aussi bien par ceux qui utilisent principalement l'hémisphère gauche de leur cerveau que par ceux qui misent sur leur hémisphère droit. Les **créatifs** apprécieront de choisir, tout au long de la journée, les tâches à encastrer entre les activités obligatoires. Les **cartésiens** seront quant à eux heureux de savoir que leurs projets avancent dans l'ordre projeté et qu'ils peuvent incorporer autant d'éléments qu'ils le souhaitent à leur agenda.

Ces méthodes sont valables **quelle que soit votre attitude fondamentale envers le temps**. Si vous avez besoin de maîtriser le temps, vous pourrez vous imposer toute la discipline voulue et vous ne craindrez pas de gaspiller votre temps. Par contre, ceux qui ont besoin de plus de liberté seront bien heureux de se retrouver avec des plages horaires où ils peuvent socialiser, gérer leur carrière ou faire face aux interruptions sans prendre de retard sur les tâches obligatoires.

Ces méthodes peuvent **devenir vôtres**.

CHAPITRE 5

Se simplifier la vie

Vous trouvez la démarche un peu compliquée ? Vous avez ressenti un petit sentiment de jalousie en lisant comment Marie gère son temps ? Ce chapitre vous réconciliera avec tout ce que nous avons expliqué jusqu'ici. Vous y retrouverez, sous une autre forme, l'essentiel des outils présentés dans les deux derniers chapitres.

ET SI VOS JOURNÉES ÉTAIENT DES RIVIÈRES ?

Supposons un instant que chacune de vos journées soit une rivière à laquelle vous devez vous attaquer. L'eau qui passe pourrait alors être comparée au temps qui s'écoule.

Supposons maintenant que c'est en kayak que vous vous attaquez à cette rivière. Vous voilà donc assis dans votre kayak au centre de la rivière.

Seulement, pour l'instant, **vous n'avez pas d'aviron**. Que se passera-t-il tout au long de la journée ? Il est évident que vous ne serez pas en mesure de décider où vous allez. C'est le courant qui le fera à votre place ; selon sa vitesse et sa direction, votre situation s'améliorera ou se détériorera au fil des heures. Une seule chose est certaine : vous terminerez la journée avec l'impression de ne pas avoir décidé de ce qui vous est arrivé. **Vous vous sentirez impuissant.**

Si cette rivière avait été une journée, auriez-vous glissé sur le temps ? Pas du tout. Si vous n'avez pas chaviré, vous auriez au mieux dérivé en laissant les événements décider de votre sort. Mais ne vous en faites pas ; pour éviter que cela ne se produise, nous allons vous refiler un aviron.

Cet aviron, c'est votre **agenda**. Vous y retrouvez toutes les actions que vous devez obligatoirement faire dans la journée. Grâce à cet aviron, vous êtes mieux en mesure de garder le contrôle sur ce qui vous arrive pendant votre périple : vous pouvez éviter les rochers et vous libérer si jamais votre kayak se coince. Le seul problème avec un tel aviron, c'est qu'il ne permet pas un déplacement optimal. Vous devez constamment le passer à droite et à gauche et, si vous ne le faites pas, vous tournez en rond. C'est ce que font bien des gens autour de vous : ils remplissent leurs journées d'activités à faire. Ils sont constamment occupés mais ils finissent par oublier qu'ils devraient avoir une destination.

Bon prince, nous consentons maintenant à vous offrir un aviron double au lieu d'un aviron simple. Si la première partie de l'aviron est constituée de votre agenda, la seconde correspond à un réservoir d'actions à faire quand les choses inscrites à votre agenda sont terminées.

Ce réservoir peut prendre de nombreuses formes. Au chapitre 3, nous l'avons divisé en plusieurs éléments : la liste « En attente », le calepin, la liste des prochaines actions, le bac à courrier et le dossier des actions repoussées. Cela dit, vous n'avez pas nécessairement besoin d'un réservoir aussi complexe. Un fichier électronique texte ou un simple cartable peut suffire, suivant votre situation. L'important, c'est de pouvoir alterner entre un aviron et l'autre, tout au long de la journée.

Vous commencez la journée en regardant votre agenda et vous savez immédiatement ce que vous devez absolument accomplir aujourd'hui. Si une action est requise, vous la faites et, si vous n'avez rien d'obligatoire pour la prochaine heure, vous vous tournez vers votre réservoir.

S'il s'agit d'un moment de la journée où votre énergie est au maximum, vous pouvez sélectionner une action qui vous demande beaucoup d'efforts. Si vous êtes fatigué, vous sélectionnerez une action que vous pouvez faire de manière automatique, ou vous déciderez simplement d'aller faire une promenade et de ne rien faire.

S'il s'agit d'un moment de la journée où vous vous sentez particulièrement créatif, vous choisirez une tâche qui vous permet d'utiliser votre imagination. Si c'est le contraire, vous opterez pour une tâche administrative.

Le réservoir vous permet donc de faire ce qui vous plaît quand cela vous plaît tout en sachant que vos projets avancent.

Remarquez, une rivière n'est pas toujours facile à naviguer. Des **obstacles**, des rapides surgiront sur votre chemin. Des interruptions ou des crises imprévues peuvent vous forcer à ramer deux fois plus ou à faire du portage. Sur le dessin suivant, ces obstacles sont représentés par des rochers.

Les obstacles peuvent vous obliger à changer de direction. Pour les éviter, vous tournez un peu à droite ou à gauche et, soudain, votre trajectoire est modifiée. Certaines personnes passent des années à ramer avant de se rendre compte qu'elles ont dévié.

Pour éviter que cela ne vous arrive, il vous faut une boussole qui vous indique constamment où se situe le Nord et quelle direction vous devez choisir pour arriver à destination. Bref, la boussole vous permet de redresser le cap. Symbolisons cette boussole par une rose des vents.

Cette boussole représente les objectifs que vous avez formulés en lisant *Pourquoi travaillez-vous ?* Ces objectifs portent sur votre carrière, votre quête de paix intérieure, votre situation financière, votre santé personnelle, votre engagement dans la communauté, la santé de votre couple, votre bien-être personnel et l'harmonie familiale. Ces objectifs représentent votre Nord magnétique.

Ainsi équipé, vous êtes maintenant en mesure de vous approcher chaque jour de votre destination tout en accomplissant les actions jugées essentielles. Vous pouvez faire face aux obstacles à mesure qu'ils se présentent sans perdre de vue le but que vous poursuivez. Mieux encore, vous disposez d'un réservoir d'actions à faire chaque fois qu'il n'y a pas d'obstacles en vue et que votre agenda ne vous impose pas de tâches immédiates. Vous ne dérivez plus ; vous glissez sur le temps.

Un dernier mot avant de terminer cette section : certaines personnes éprouvent de la difficulté à quitter le quai parce qu'elles y sont attachées. Cela se produit chez les gens qui n'ont pas pris le temps de faire le grand « barda » et qui ne sont pas venus à bout des piles de documents qui continuent à les hanter.

Pour naviguer, il faut savoir où l'on va. Il faut être en mesure de se détacher du quai et il ne faut pas tourner en rond. Les outils que nous vous avons présentés jusqu'ici vous permettront d'y arriver.

VOUS AVEZ DROIT À LA DIFFÉRENCE

Les êtres humains sont tous uniques et chacun utilisera différemment les techniques qui lui permettront de glisser sur le temps. Tentons maintenant de tisser des liens entre les résultats de votre test (effectué au chapitre 2) et votre gestion personnelle quotidienne.

Si vous privilégiez l'hémisphère gauche de votre cerveau, vous préférez aborder vos journées **comme une suite linéaire d'événements**. Il y aura plus de points à votre agenda que si vous privilégiez l'hémisphère droit. Dans ce deuxième cas, vous préférez souvent **sauter d'une tâche à l'autre** et vous apprécierez rapidement votre réservoir d'actions à accomplir.

Si vous faites partie de ceux qui ont besoin de **maîtriser le temps** (c'est la cinquième dimension évaluée dans le test) et de prendre une décision le plus rapidement possible quand une situation imprévue se présente, votre agenda sera bien plus garni que celui de la moyenne des gens. Ce n'est pas étonnant: vous vous sentez mieux quand tout est planifié.

Si vous faites partie de ceux qui préfèrent **s'adapter aux événements** à mesure qu'ils se présentent, vous aurez davantage recours au réservoir et vous limiterez à l'essentiel les éléments présents dans votre agenda. Assurez-vous toutefois d'y noter toutes les actions que vous devez obligatoirement faire dans la journée; vous risqueriez sinon de faire autre chose.

Si vous vivez actuellement des conflits de rôles, inscrivez à votre agenda des **périodes de réflexion** pendant lesquelles vous évaluerez vos progrès et planifierez des activités vous permettant d'atteindre l'équilibre.

Cette démarche sera aussi simple ou aussi compliquée que vous le souhaitez. C'est à vous de décider. Adaptez-la à votre personnalité. Les prochains chapitres vous permettront d'identifier les chronophages, ces voleurs de temps qui viennent gruger votre quotidien.

CHAPITRE 6

Les chronophages internes

C e chapitre sera consacré aux chronophages internes et, en premier lieu, au pire de ces empêcheurs de glisser sur le temps : la procrastination, c'est-à-dire l'habitude de remettre à plus tard ce qu'on pourrait faire tout de suite. Nous tenterons de comprendre les causes de la procrastination et nous nous demanderons ensuite comment en limiter les dégâts.

Ce chapitre vous intéressera particulièrement si votre score a été supérieur à cinq pour la sensibilité aux chronophages internes dans le test présenté au chapitre deux.

LA PROCRASTINATION

Pourquoi remettre à demain ce qu'on peut faire aujourd'hui quand on sait qu'il faudra bien s'y mettre un jour ou l'autre ? Avant de répondre à cette question, écoutons ce qu'en disent Laurent et Lyse, deux collègues travaillant dans une entreprise manufacturière.

➢ Laurent : « Ce sont les conversations désagréables que je reporte le plus au lendemain. S'il faut que j'annonce à un client que sa commande sera en retard ou s'il faut que je dise à un collègue qu'il me tombe sur les nerfs, j'hésite, puis je me dis que je le ferai demain. Et c'est encore plus difficile le lendemain ! »

➢ Lyse : « Je reporte les tâches qui me mettent mal à l'aise. Je sais que mon orthographe est horrible. J'attends donc à la dernière minute avant de composer un texte. Le pire, c'est qu'en agissant de cette manière, je n'ai souvent pas le temps de me corriger. »

Laurent et Lyse mettent le doigt sur deux causes fréquentes de procrastination : les tâches désagréables et la crainte de l'échec. Mais il y en a d'autres. Faisons-en un bref survol en nous demandant comment nous pouvons vaincre ce chronophage interne.

1. La peur de l'échec

Il est normal que vous agissiez comme le fait Lyse si vous ne vous sentez pas à la hauteur et que vous vous attendez à un échec avant même de commencer une tâche. Mais, si vous êtes incompétent ou ne vous croyez pas à la hauteur, pourquoi ne pas demander à un collègue d'évaluer franchement vos compétences ? Ensuite, si vous avez vraiment des lacunes, allez chercher la formation qui vous rendra votre confiance personnelle. En remettant au lendemain au lieu d'attaquer le problème, vous vous forgez lentement une réputation d'incompétence.

2. Le perfectionnisme

Vous livrerez immanquablement vos rapports en retard si vous attendez qu'ils soient parfaits. Cette cause de procrastination est tellement fréquente que nous lui consacrons la prochaine section de ce chapitre.

3. La fuite

Laurent préfère fuir les activités déplaisantes plutôt que de s'y attaquer. Il traîne alors avec lui l'anxiété découlant du fait qu'il sait qu'il devra tôt ou tard accomplir la tâche. Il empire sa situation parce que ses clients et ses collègues lui en voudront de ne pas les avoir mis au parfum plus tôt.

S'il vous arrive de préférer la fuite à l'affrontement, songez à déléguer la tâche désagréable ou faites-la immédiatement. Dans les deux cas, vous en sortirez soulagé.

4. La pensée magique

D'autres tentent d'ignorer la tâche à accomplir en espérant qu'avec le temps, elle ne sera plus nécessaire. Dans certains rares cas, cela fonctionne, mais la plupart du temps, cette tactique a des répercussions néfastes.

- Un collègue fera le travail à votre place, mais il nourrira ensuite du ressentiment à votre égard.

- Le besoin disparaîtra parce que le client choisira de faire affaire ailleurs ou que la rencontre aura lieu sans l'ordre du jour que vous deviez préparer.

Ne succombez pas à la pensée magique. Elle pourrait faire disparaître votre emploi.

5. La sous-estimation du temps nécessaire

Deux choses risquent de se produire si vous sous-estimez le temps nécessaire à l'accomplissement d'une tâche. Vous attendrez à la dernière minute pour entreprendre le travail (vous condamnant au retard par le fait même) ou vous vous retrouverez submergé de mandats que vous aurez acceptés avec la certitude d'être en mesure de les mener à terme. Dans les deux cas, vous nuisez à votre carrière.

Révisez les mandats que vous avez réalisés par le passé et évaluez le temps qu'ils vous ont réellement demandé. Prenez ensuite l'habitude de baser vos estimations sur ces faits plutôt que sur votre infatigable optimisme.

6. L'attente de l'inspiration

À un journaliste qui lui demandait comment il faisait pour trouver l'inspiration nécessaire à l'écriture d'autant de livres, le romancier Tom Clancy répondait : « N'attends pas l'inspiration. Écris-le, le maudit livre ! » (*Don't wait for inspiration. Just write the damn book !*)

L'inspiration est une pompe à eau manuelle. Il faut l'amorcer pour qu'elle fonctionne. Lancez-vous dans le mandat et l'inspiration suivra.

7. La peur du succès

Ce facteur est plus rare, mais on le retrouve tout de même : certaines personnes craignent de réussir parce qu'elles se sous-estiment et redoutent qu'une réussite augmente les attentes des autres à leur égard. Elle préfèrent donc échouer afin de ne pas connaître cette angoisse. Elles sabotent leur carrière pour éviter les promotions et les responsabilités.

Si c'est votre cas, lisez *Un collègue veut votre peau*, un autre guide de la collection **S.O.S. BOULOT**, en vous attardant surtout aux chapitres qui parlent d'estime de soi.

8. Le sentiment d'impuissance

Certains se font des montagnes avec des riens et surestiment ce que l'on attend d'eux. Ils se disent qu'ils ne seront jamais capables d'abattre autant de travail. Le pire, c'est qu'ils ont raison : si vous pensez que vous n'y arriverez pas, votre crainte se réalisera d'elle-même.

Que faire pour combattre ce sentiment d'impuissance ? Commencez par diviser la tâche à accomplir. Il vous semblera alors moins impossible de réussir. Si cela ne fonctionne toujours pas, demandez de l'aide pour la première étape (ou une activité de formation) et, si c'est encore insuffisant, retirez-vous du dossier ! Rappelez-vous que le sentiment d'impuissance est souvent le résultat de limitations que l'on s'impose soi-même et qui ne correspondent à rien de vraiment réel.

Que se passe-t-il quand une personne succombe à la procrastination, mais sans vouloir se l'avouer ? Selon Rita Emmett, auteure de *Ces gens qui remettent tout à demain*, cette personne se comporte comme l'un des cinq personnages suivants :

- Un voyageur qui se rappelle soudain, au moment de commencer, qu'il aimerait un bon café, celui qu'on trouve dans ce petit bistrot de l'autre côté de la rue.

- Un adepte de la socialisation qui part à la recherche de collègues pour raconter sa fin de semaine ou leur demander si le bébé fait finalement ses nuits. Tous les prétextes sont bons quand on souhaite éviter un travail.

- Un préparateur modèle, un de ces spécialistes de la préparation (et non de l'exécution) du travail : il taille son crayon, accumule l'information, cherche sur Internet... Mais il ne commence pas le travail.

- Un spécialiste du rangement qui décide subitement de faire le ménage au lieu de se lancer dans la tâche.

- Un bon samaritain toujours prêt à rendre service (personnage dont nous reparlerons d'ici la fin de ce chapitre).

Vous êtes-vous reconnu dans l'une (ou plusieurs) de ces descriptions ? Si oui, vous êtes un adepte de la procrastination. Relisez la section précédente. Identifiez la cause cachée de ces habitudes et attaquez-vous-y.

Restez également à l'affût des mauvaises habitudes qui vous font perdre votre temps au travail et qui peuvent cacher de la procrastination : abus de jeux vidéo ou d'Internet, participation à des réunions sans intérêt ou longues discussions téléphoniques.

Finalement, n'acceptez jamais un mandat avant d'avoir bien compris ce qu'on attend de vous. Si vous n'avez pas bien compris, vous ne saurez pas par où commencer et il est possible que vous soyez trop gêné pour aller demander des éclaircissements. La prochaine fois, au lieu de dire « hum, hum... », assurez-vous d'avoir bien compris.

LE PERFECTIONNISME

Certaines personnes sont des artisans. Par exemple, ils travaillent un texte comme on polit une pierre, modifiant un aspect, partant à la recherche d'un meilleur mot, d'une métaphore plus imagée et ne comptant pas les heures, voire les jours qu'ils passent à la tâche. Il est facile de comprendre leur déception de ne pas recevoir plus de louanges à la livraison. Mais le patron ne souhaitait qu'un petit texte de bienvenue pour amorcer la visite de l'usine avec un groupe d'étudiants...

En donnez-vous plus qu'on ne vous en demande ? Avez-vous toujours l'impression qu'un travail n'est pas tout à fait terminé ? Vous concentrez-vous davantage sur vos faiblesses que sur vos forces ? Êtes-vous souvent en retard parce qu'il fallait que vous retravailliez une partie d'un rapport ? Êtes-vous votre pire critique ? Si vous avez répondu oui à plus de deux de ces questions, vous souffrez probablement de perfectionnisme.

Rassurez-vous : nous ne vous encouragerons pas à tourner les coins ronds ou à livrer un travail imparfait aux yeux des autres. Mais si vous vous entêtez à vouloir atteindre *votre* perfection, vous risquez de vivre les problèmes rencontrés par ces quatre personnes :

• Maryse investit les mêmes efforts dans chacune des choses qu'elle fait, sans égard à l'importance de la tâche. Elle n'arrive pas à établir les priorités parmi ses activités.

• On pourrait croire que Jacques est victime de procrastination parce qu'il attend toujours à la dernière minute avant de commencer un travail. Mais il n'en est rien : il accumule d'abord l'information pour s'assurer d'un travail sans faille.

• Philippe prend une éternité à livrer un travail. Il raconte à qui veut l'entendre que ce qui mérite d'être fait mérite d'être bien fait. Ses collègues ont commencé à se passer de lui...

• Rachel ne laisse personne l'aider parce que, selon elle, personne au bureau ne travaille aussi bien qu'elle. Comment s'étonner du fait que les gens l'évitent ces derniers temps ?

Si le perfectionnisme est devenu une entrave à votre travail, vous devrez méditer les vérités qui suivent.

1. La perfection n'est pas de ce monde

Vous trouverez toujours des éléments à modifier dans une lettre. Il existera toujours un logiciel qui vous permettrait de créer de plus beaux graphiques. Mais si vous partez continuellement en quête de perfection, vous oublierez votre véritable raison d'être dans l'entreprise et vous courrez le risque qu'on vous mette de côté.

2. C'est à l'autre de juger de ce qui est parfait

Ce qui vous semble imparfait est probablement parfait pour celui qui vous a confié ce mandat. Quelles sont les attentes de votre supérieur ? Ce travail est-il essentiel à la survie de l'organisation ? Vous n'avez pas à en donner plus que le client n'en demande.

3. Trouvez le seuil de perfection

Il arrive un moment où un travail, bien qu'imparfait, ne sera pas plus efficace si on y consacre plus de temps. C'est le seuil de perfection. Apprenez à vous arrêter au moment où les objectifs poursuivis sont réalisés.

4. Concentrez-vous sur les résultats

Ce sont eux qui importent. Un travail imparfait présenté au bon moment aura plus d'impact qu'un travail parfait présenté avec deux semaines de retard. Prenez le rythme. Présentez votre travail au moment souhaité.

LE REFUS DE DÉLÉGUER

Il arrive aussi que vous preniez du retard parce que vous refusez de déléguer une partie du travail. La règle à ce sujet est assez simple : « pour décider si vous pouvez déléguer un travail, demandez-vous si quelqu'un d'autre peut le faire. Si ce quelqu'un est disponible, déléguez le plus tôt possible. » Alec Mackenzie, auteur de *The Time Trap*, va même plus loin : « Ne faites rien que vous pouvez déléguer. » Mais avouons que la délégation est difficile et pour plusieurs raisons.

- *Votre ego*. Il est plus valorisant de retirer toute la gloire si le projet a du succès. Mais que ferez-vous si c'est un échec ? De plus, bien des patrons préfèrent voir leurs employés travailler en équipe.

- *La peur de perdre le contrôle*. Vous avez peut-être peur que des collègues aient d'autres idées et que vous perdiez la maîtrise du projet. N'oubliez pas, cependant, que leurs idées ont peut-être du bon.

- *La peur des erreurs*. Il est bien évident que les autres feront des erreurs si vous leur balancez le travail sans vous assurer de leurs compétences. Une partie de votre travail, du moins au début, consistera à évaluer leurs compétences et à favoriser leur apprentissage. Une fois formés, ils deviendront des partenaires de premier plan et vous serez libéré.

Commencez par déléguer des tâches moins importantes pour vous assurer que le travail est bien fait. Petit à petit, à mesure que votre confiance dans les autres augmente, offrez-leur des défis plus importants. Si vous remarquez un besoin de formation, faites en sorte de le combler. À mesure que vous aiderez les autres à vous aider, vous vous rendrez compte que le travail se fait mieux et dans le plaisir. Il est bien plus agréable de fêter une victoire en groupe que tout seul dans son coin !

Un mot magique pour gagner du temps

Il existe un mot magique susceptible de vous faire épargner bien des heures par semaine. Ce mot, que vos parents vous ont peut-être appris à ne pas employer (les enfants polis ne le disent jamais, paraît-il), c'est **non**.

Il est impossible d'être de tous les comités, de rendre tous les services demandés et de camoufler les erreurs des autres en travaillant en double sans en payer le prix. Ce prix, c'est votre temps. Dire oui à un collègue équivaut souvent à dire non à un ou à plusieurs projets personnels.

Pourquoi éprouvez-vous de la difficulté à dire non ? Vous craignez de paraître impoli, vous avez un énorme besoin d'être apprécié ou vous vous croyez capable de tout faire sans nuire à vos propres projets ? Il est pourtant facile de dire non sans offenser les autres. Il suffit d'intégrer le mot « merci » à votre réponse :

- « Je te remercie d'avoir pensé à moi, mais je ne pourrai pas participer à ce comité. J'ai déjà assez de projets en marche comme ça ! »

- « C'est gentil de souhaiter connaître mon avis. J'aurais bien aimé participer à la réunion mais j'ai autre chose en ce moment. Puis-je te faire part de mon opinion tout de suite ? »

Cela ne signifie pas que vous deviez toujours dire non. La prochaine fois qu'un collègue vous demandera un peu de temps, demandez-vous ce que vous devez sacrifier pour lui être agréable et évaluez si ça vaut le coup. Rappelez-vous également que personne ne prendra conscience de la valeur de votre temps avant que vous n'ayez vous-même appris à l'évaluer. Si vous avez tendance à le gaspiller, les autres n'auront pas de remords à vous y aider.

Pour apprendre à dire non sans vous faire d'ennemis, consultez le chapitre 5 du livre *Affirmez-vous !*, un autre guide de la collection **S.O.S. BOULOT**.

Apprendre à dire non rehaussera également votre estime personnelle. Quand vous dites toujours oui, vous laissez entendre que vos projets ont moins de valeur que ceux des autres.

L'INCAPACITÉ À ANNONCER UNE DÉCISION

Pour la majorité des gens, décider est un besoin qu'il faut satisfaire rapidement parce que cela libère. Mais si votre attitude fondamentale envers le temps est différente, l'obligation de prendre une décision vous semble une contrainte, comme le sacrifice des autres options que vous pourriez choisir. Souvent même, vous hésitez à communiquer une décision que vous avez prise en vous disant que votre opinion changera peut-être. Cela a souvent des conséquences graves.

> ➢ Mireille : « Elle m'a demandé si j'accepterais de l'aider. Je savais que ma réponse était non mais j'ai préféré lui demander de me laisser un peu de temps pour y penser. Quand je lui ai finalement répondu non, le projet avait pris tellement de retard qu'il était voué à l'échec. J'aurais dû le lui dire plus tôt. »

> ➢ Guy : « Je savais que je ne leur louerais pas le local mais j'ai fait semblant de rien. Quand je me suis finalement décidé à le leur dire, trois jours plus tard, ils avaient déjà acheté une partie du mobilier commercial. Nous passons en cour lundi... »

L'incapacité à décider ou à annoncer votre décision vous rend anxieux, déclenche chez vous une temps-dinite et empire la situation que vous souhaitez fuir. La prochaine fois que vous vous retrouverez dans ce genre de situation, posez-vous les questions suivantes :

- Quelles sont les répercussions à long terme ?

- Est-ce que je risque de changer d'opinion ?

- Quels sont les risques pour nos relations ?

- Les effets seront-ils pires si je retarde l'annonce de ma décision ?

- Quel effet le fait de retarder l'annonce a-t-il sur ma performance au travail ?

Quand, à la suite d'une requête d'un collègue, vous demandez quelques jours « pour y penser », vous augmentez les attentes chez l'autre. Il se dit que si vous aviez voulu dire non, ce serait déjà fait. Vous courez plus de risques de briser la relation en repoussant l'annonce qu'en la devançant.

Est-ce oui ou non ? Que vous dit votre estomac ? Soyez à l'écoute ; il sait bien des choses avant votre cerveau.

Les chronophages externes

Les chronophages externes, rappelons-le, sont les pressions de votre environnement qui risquent de vous faire gaspiller votre temps et de provoquer une temps-dinite. Ce chapitre vous intéressera particulièrement si votre score a été supérieur à quatre pour la sensibilité aux chronophages externes dans le test présenté au chapitre deux.

LES OUTILS DE COMMUNICATION

En théorie, le téléphone et le courrier électronique auraient dû nous libérer. Après tout, il est plus rapide d'expédier un courriel ou d'effectuer un appel téléphonique que de se rendre chez un client et d'en revenir. S'il n'y a pas eu libération, c'est que l'utilisation de ces outils exige peu d'efforts et qu'il est tentant de s'en servir pour « passer le temps ».

De plus, nous avons développé un réflexe pavlovien face au téléphone. Dès la première sonnerie, notre cœur bat plus vite et nous ressentons le besoin de savoir qui est à l'autre bout du fil. S'il fallait que ce soit important...

Trop souvent, le téléphone est à la vie professionnelle ce que la télévision est à la vie personnelle : une distraction qui nous donne l'impression de travailler ou de nous amuser. Voici quelques conseils qui vous aideront à dompter ces importants outils de communication :

- Si vous avez tendance à parler longtemps au téléphone, munissez-vous d'un chronomètre que vous placerez près du téléphone et que vous enclencherez au début de chaque conversation.

- Si vous savez qu'un interlocuteur aime bavarder longuement, expédiez-lui un courriel au lieu de l'appeler.

- Assurez-vous d'avoir tous les documents nécessaires sous la main avant de faire un appel. Il est gênant d'appeler un fournisseur pour rapporter une erreur de facturation et de devoir s'excuser parce qu'on n'a pas la facture sous la main.

- S'il vous prend l'envie soudaine de passer un appel personnel, demandez-vous quelle tâche vous tentez d'éviter. Jouez-vous les adeptes de la socialisation ? Êtes-vous en train de céder à la procrastination ?

- Si vous devez effectuer un travail nécessitant de la concentration, faites en sorte que le téléphone ne vous nuise pas. Demandez qu'on prenne vos appels, désactivez la sonnerie ou laissez fonctionner la boîte vocale.

- Si vous craignez que le conseil précédent vous fasse manquer des appels importants, laissez à la réception les noms des personnes dont vous attendez l'appel.

- Si vous avez répondu au téléphone et qu'il vous tarde de mettre fin à la discussion, utilisez une des formules suivantes : « Avant de terminer, j'aimerais... », « Je suis en réunion, mais je peux t'accorder une minute. Qu'y a-t-il ? » ou « Je partais justement. À quelle heure puis-je vous rappeler demain ? »

- Préparez des réponses polies et fermes que vous pourrez servir à tous ceux qui tentent de vous vendre quelque chose (publicité, fluorescents, etc.) par téléphone.

- Il est possible de configurer votre logiciel de courrier électronique afin qu'il bloque les messages en provenance de certaines adresses électroniques. Utilisez cette fonction si vous êtes submergé de courriels publicitaires indésirables.

- Ne conservez pas les vieux messages sous prétexte que vous pouvez avoir besoin de l'adresse de ce correspondant plus tard. Les logiciels de courrier électronique peuvent sauvegarder les adresses et les noms de vos correspondants dans un bottin intégré.

• Créez des sous-répertoires pour archiver les courriels que vous souhaitez conserver. Votre écran d'accueil est comme votre bac à courrier. Aussitôt rempli, aussitôt vidé ! Vous ne devriez traiter les courriels qu'une seule fois.

• Si un courriel ne vous concerne pas, effacez-le immédiatement. S'il risque d'intéresser un collègue, transférez-le en glissant un message amical et effacez votre copie.

À moins d'être au service à la clientèle (dans ce cas, il s'agit de votre activité principale), vous n'avez généralement pas à répondre aux messages téléphoniques ou aux courriels dans les minutes suivant leur arrivée. Continuez à glisser sur le temps. Vous pourrez toujours rappeler quand l'activité en cours sera terminée.

LES RÉUNIONS

Vous êtes-vous déjà demandé comment il se fait qu'autant de temps se perde dans les réunions ? Voici les causes les plus fréquentes ainsi que quelques conseils pour réduire les dommages de ce chronophage externe.

1. Un trop grand nombre de participants

Trop souvent, de peur de vexer les collègues qui ne seraient pas invités, on convoque trop de monde à une réunion qui aurait pu se dérouler en comité restreint.

Or, une fois sur place, les gens que la rencontre ne touche pas du tout ne veulent pas être en reste. Ils souhaitent s'impliquer, participer à la discussion et donner leur opinion. En un clin d'œil, la rencontre est devenue un cirque.

Avant d'organiser une réunion, demandez-vous si celle-ci doit vraiment avoir lieu. Dans bien des cas, vous pourrez l'éviter. Si elle est inévitable, n'invitez que les personnes concernées par le sujet à l'ordre du jour. Vos collègues vous en seront reconnaissants.

2. L'ignorance

Si les participants ignorent pourquoi la rencontre a lieu, ils passeront un temps considérable à tenter de le découvrir et ne feront rien de constructif avant que la rencontre ne débute.

Par contre, si vous avertissez les participants du sujet à l'ordre du jour lors de la convocation, ceux-ci auront le temps de se faire une opinion et d'arriver préparés, particulièrement si vous avez distribué à l'avance l'ordre du jour et les documents annexes.

3. Les retards

Plus il y a de participants, plus vous perdrez de temps si vous attendez que tous soient arrivés et prenez une pause chaque fois qu'une personne doit s'absenter quelques instants.

Rappelez-vous qu'une rencontre de 8 personnes gagnant en moyenne 45 000 $ par an coûte plus de 180 $ l'heure à l'entreprise. Ne gaspillez pas ces précieuses ressources financières. Elles proviennent peut-être d'un budget qui vous tient à cœur !

4. Le manque d'intérêt

Un groupe de personnes au travail dégage une énergie palpable, en autant que toutes participent à la discussion. Chaque personne impliquée ressent alors de l'intérêt pour les enjeux discutés et a envie de continuer. Cet intérêt disparaît subitement, et tout le groupe s'en ressent, si le sujet discuté ne touche pas une personne.

Dans le cas où l'ordre du jour couvre plusieurs points, les personnes invitées ne devraient pas être dans l'obligation de rester si elles ne sont concernées que par quelques points. Une judicieuse planification de l'ordre du jour permettra de réduire les pertes de temps et de maintenir l'intérêt du groupe pendant toute la rencontre.

5. Le laisser-aller

Il est exaspérant de passer des heures dans une réunion où les participants tournent en rond, ouvrent des parenthèses sans jamais les refermer, s'éloignent du but de la rencontre ou prennent trop de temps pour traiter un élément mineur alors qu'il reste cinq sujets importants à discuter.

Si vous vivez régulièrement ces situations, quelques conseils devraient vous aider à remettre de l'ordre dans vos rencontres.

• Nommez un responsable qui aura l'autorité de faire cesser toute discussion s'éloignant du point à l'ordre du jour. Pour que les participants ne prennent pas cette personne en grippe, changez-la à chaque rencontre.

• Choisissez une personne qui sera chargée de rappeler, toutes les demi-heures, le temps qu'il reste à la rencontre. Cette technique accélère généralement les discussions.

• S'il est visible qu'une question sera longue à traiter, proposez de la déplacer à la fin de la rencontre et de traiter les autres points tout de suite.

6. Une fréquence inadéquate

Si vos réunions sont trop fréquentes, il y aura peu de points à l'ordre du jour et les participants auront l'impression de se déplacer pour rien. Si elles sont trop espacées, l'ordre du jour sera à ce point chargé qu'il provoquera de l'insatisfaction chez les participants. Tentez de trouver le juste milieu et, si une réunion s'avère trop longue, prévoyez des pauses.

7. Un sentiment d'injustice

Si les réunions exigent de certains participants de longs déplacements, le niveau de fatigue ne sera pas le même pour tous pendant la rencontre. Avec le temps, cela peut mener au sabotage des rencontres si ce sont toujours les mêmes qui se déplacent.

8. Des décisions qui ne mènent nulle part

Il arrive fréquemment que des décisions soient prises pendant des rencontres et qu'elles ne soient pas mises à exécution par la suite. On décide par exemple d'améliorer la qualité du service à la clientèle, mais personne n'est chargé de prendre le dossier en main. Par conséquent, à la rencontre suivante, le dossier n'a pas progressé et le temps passé en rencontre a été gaspillé.

Ne vous gênez donc pas, lorsqu'une décision est prise, pour insister afin qu'une personne soit chargée de sa mise en application et faites inscrire à l'avance, sur le prochain ordre du jour, la présentation d'un rapport d'étape par cette personne.

À quoi bon se rencontrer si c'est pour prendre des décisions qui ne seront jamais mises en pratique ? Autant rester dans votre bureau et faire avancer vos projets.

LES TEMPS MORTS

Un vieux dicton dit qu'un sou économisé vaut un sou gagné. De même, une minute qui n'est pas gaspillée vaut une minute gagnée. Or, combien de minutes perdez-vous chaque semaine quand on vous met en attente ?

Vous allez rencontrer un client et le réceptionniste vous annonce que vous devrez patienter une dizaine de minutes. Vous prenez l'avion et vous n'arriverez à destination que deux heures plus tard. Vous appelez une agence gouvernementale et une voix robotisée vous assure que : « Ce délai d'attente est contre notre volonté. Votre satisfaction est importante pour nous. Pour conserver votre priorité d'appel... »

Vous pouvez utiliser tous ces temps morts pour prendre de l'avance dans d'autres activités. Si vous ne le faites pas, vous risquez de devoir compenser par des heures supplémentaires.

Ayez quelque chose à vous mettre sous les yeux (un journal, un rapport, le brouillon d'une lettre à corriger, etc.) avant de faire un appel téléphonique. Les délais vous paraîtront moins longs si vous les utilisez.

Voici diverses activités qui vous aideront à tirer parti de toutes ces minutes d'attente.

- Mettez à jour votre liste des prochaines actions.
- Consultez votre liste « En attente ».
- Faites le ménage de votre mallette.
- Passez en revue les documents de votre bac à courrier.
- Rédigez les grandes lignes d'une lettre destinée à un client.
- Révisez les rapports statistiques que vous venez de recevoir.
- Rappelez quelqu'un qui attend votre appel.
- Prenez vos messages.
- Consultez votre courriel.
- Feuilletez un magazine avant archivage.

Profitez-en également pour amorcer ou continuer l'un de ces travaux qu'on peut rarement faire d'une seule traite. Au lieu de vous énerver quand vous devez attendre, choisissez de glisser sur le temps et servez-vous de ces activités pour remplir les temps morts. Vous en sortirez gagnant.

V'là d'la visite !

Que dire maintenant de ces chronophages externes qui déambulent sur deux pattes et qui se croient autorisés à s'arrêter dans votre bureau, question de jaser, quand vous croulez sous le travail ?

Dans ce cas, le danger se présente sous les traits d'une personne charmante qui fait irruption dans votre espace de travail et qui, sourire aux lèvres, vous demande si vous avez une minute à lui accorder. En disant non, vous risquez de passer pour un impoli. En disant oui, vous sacrifiez une heure de travail. Que faire ?

Dans certains cas, vous serez heureux d'avoir un visiteur. Si votre attitude fondamentale envers le temps en est une d'adaptation plutôt que de contrôle (rappelez-vous le résultat de votre test à ce sujet), vous savez apprécier les interruptions.

Mais même les créatifs connaissent des périodes de travail intense où ils supportent très mal les visites inattendues. Dans ce cas, une tactique simple consiste à placer des documents sur la chaise qui vous fait face quand vous travaillez. La majorité des visiteurs resteront moins longtemps s'ils ne peuvent s'asseoir.

Vous pouvez également être **direct** : « Je suis très content de te voir, mais j'ai un travail urgent à terminer. Je t'accorde deux minutes. De quoi souhaitais-tu me parler ? » Cette entrée en matière vous permettra de dire à votre visiteur que son temps est écoulé et que vous serez heureux de continuer à discuter pendant le lunch ou dès que votre travail sera terminé.

Si vous possédez un bureau fermé, vous pouvez fermer la porte quand vous ne souhaitez pas être dérangé. Si possible, faites savoir à la réception que vous ne serez pas disponible avant telle heure.

Si une personne prend l'habitude de s'imposer malgré les signaux polis que vous lui envoyez, vous devrez vous résoudre à mettre les points sur les i. Pour savoir comment le faire sans nuire à votre relation professionnelle, lisez *Affirmez-vous !*, un autre guide de la collection **S.O.S. BOULOT**.

Finalement, si vous avez un bureau ouvert dans un espace achalandé, vous bénéficiez du meilleur endroit pour tisser des relations amicales avec vos collègues. Quand vous devez vous concentrer sur un travail urgent, tentez de réserver la salle de conférences ou demandez d'utiliser le bureau fermé d'un collègue.

VOUS N'ÊTES PAS UNE MACHINE

Les trucs présentés dans ce chapitre ne visent pas à vous transformer en une machine qui ne pense qu'à produire et qui s'interdit les moindres plaisirs de la vie.

Il y aura des jours où vous tiendrez à appliquer tous ces trucs parce qu'un travail urgent vient à échéance et que vous ne devez pas sacrifier une minute. Mais il y aura également des jours où votre agenda sera moins chargé. Ces jours-là, prenez le temps d'apprécier ce qui se passe autour de vous, multipliez les contacts avec les collègues (ceux qui ont du temps à vous consacrer !) et permettez-vous un ou deux appels personnels.

Vous n'êtes pas une machine ; vous avez la faculté de penser. Vous êtes en mesure de décider quel comportement est le plus approprié suivant les circonstances.

Paresse ou liberté ?

Nous nous en voudrions de ne pas mettre certaines choses au clair avant de vous laisser refermer ce livre. Nous n'avons pas tenté, au long de ces pages, de vous convaincre de paresser ou de travailler moins. Vous devez cependant comprendre que vous n'êtes pas payé pour les heures passées au travail **mais pour ce que vous rapportez à l'entreprise**. Si un travail vous prend deux fois plus de temps qu'à une personne mieux organisée, vous ne méritez pas le double de son salaire !

Si vous êtes mal organisé et que vous prenez du retard, il est évident que vous ferez des heures supplémentaires. Nous ne vous disons pas de tirer un trait sur ces heures afin d'apprécier la vie. Nous vous disons plutôt que si vous travaillez mieux, vous serez capable de faire le même travail en moins de temps et pourrez ainsi profiter davantage de la vie. Ne nous le cachons pas : il existe un rapport inversement proportionnel entre le nombre d'heures que vous passez au travail et votre productivité.

- Passé un certain nombre d'heures (chiffre qui varie d'une personne à l'autre), la fatigue fait en sorte que les tâches s'accomplissent moins vite et que la fréquence d'erreurs augmente. Ces heures nuisent à votre amour du travail et diminuent votre loyauté envers l'entreprise.

- Ces heures loin des vôtres vous obligent également à sacrifier votre vie familiale et sociale. On finit par vous prendre pour un étranger et les réunions chaleureuses d'antan ne sont plus qu'un souvenir.

- La personne qui investit trop d'heures pour atteindre un rendement acceptable pour son patron se voit ainsi couper la voie des promotions ou des mandats comportant de plus grandes responsabilités. Pour obtenir ces récompenses, il faut faire la preuve de votre efficacité.

Ce n'est pas la paresse mais bien la liberté que nous vous proposons dans ce livre. Une liberté issue d'une meilleure façon de vous organiser et des sentiments de pouvoir et de sécurité qui en découlent. En fait, en glissant sur le temps, vous pourrez accomplir plus de travail que vous n'en accomplissez présentement.

DONNER UN COUP ?

Cela ne veut pas dire que vous ne pouvez pas décider, consciemment, de vous lancer à corps perdu dans le travail pour une durée plus ou moins longue. Cela peut être nécessaire si vous vous lancez en affaires ou si vous travaillez sur un dossier particulièrement important. Rappelez-vous cependant les éléments suivants si vous décidez de le faire :

- Assurez-vous que cette période intense aura une fin. Ne vous lancez pas sans savoir quand elle se terminera. Il y a déjà trop de personnes qui vivent une telle situation « temporaire » depuis des années.

- Avertissez les vôtres que la situation sera temporaire et dites-leur quand votre horaire reviendra à la normale. Vous augmenterez ainsi les chances qu'ils soient encore là le matin où vous serez disponible.

- Ne sacrifiez pas vos heures de sommeil. Votre organisme en a besoin et la qualité de votre travail en souffrira si vous le faites. Sacrifiez plutôt certaines de vos activités sociales ou récréatives.

- N'oubliez pas les bonnes habitudes que vous avez adoptées tout au long de la lecture de ce livre. Le fait que vous investissiez plus d'heures au travail n'est pas une excuse pour être moins efficace et vous traîner les pieds.

Glisser sur le temps, c'est **traiter sa temps-dinite**. Cela permet d'être serein face aux objectifs que l'on s'impose, d'aborder chaque journée avec confiance et enthousiasme, d'investir ses efforts pour qu'ils rapportent et de relever des défis professionnels sans pour autant tirer un trait sur les autres aspects de sa vie.

C'est ce que nous vous souhaitons.

LECTURES SUGGÉRÉES

ALLEN, David. *Getting Things Done*, Viking, New York, 2001, 267 p.

CÔTÉ, Marcel. *Maître de son temps*, Les Éditions Transcontinental, 2000, 216 p.

DOSSEY, Larry. *Space, Time & Medicine*, Shambhala, Boston, 1982, 248 p.

EISENBERG, Ronni et KELLY, Kate. *The Overwhelmed Person's Guide to Time Management*, Plume/Penguin, New York, 1997, 312 p.

EMMETT, Rita. *Ces gens qui remettent tout à demain*, Québec Loisirs, Montréal, 2001, 208 p.

MACKENZIE, Alec. *The Time Trap*, Amacom, New York, 1997, 202 p.

McGEE-COOPER, Ann et TRAMMEL, Duane. *Time Management for Unmanageable People*, Bantam, New York, 1994, 252 p.

McGEE-COOPER, Ann, TRAMMEL, Duane, LAU, Barbara. *You Don't Have To Go Home From Work Exhausted !*, Bantam, New York, 1992, 227 p.

RUTHLEDGE, Thom. *Earning Your Own Respect*, New Harbinger, Oakland, 1998, 164 p.

SAMSON, Alain. *Affirmez-vous !*, Les Éditions Transcontinental, Montréal, 2002, 96 p.

SAMSON, Alain. *Devrais-je démissionner ?*, Les Éditions Transcontinental, Montréal, 2001, 96 p.

SAMSON, Alain. *Gérez votre patron*, Les Éditions Transcontinental, Montréal, 2001, 96 p.

SAMSON, Alain, *Pourquoi travaillez-vous ?*, Les Éditions Transcontinental, Montréal, 2002, 96 p.

SAMSON, Alain. *Un collègue veut votre peau*, Les Éditions Transcontinental, Montréal, 2001, 96 p.

SILBER, Lee. *Time Management for the Creative Person*, Three River Press, New York, 1998, 288 p.

Lectures suggérées

SMITH, Hyrum W. *The 10 Natural Laws of Successful Time and Life Management*, Warner Books, New York, 1994, 219 p.

ST. JAMES, Elaine. *Simplify Your Work Life*, Hyperion, New York, 2001, 298 p.